地方議会
議事次第書・書式例

第５次改訂版

全国町村議会議長会［編］

学陽書房

はしがき

——第５次改訂版の発刊にあたって——

本書は、昭和五十五年に発刊され、以来、幾多の法令等の改正等を盛り込み、改訂増補を行って参りました。おかげをもちまして、これまで多くの地方議会関係者の実務書として親しまれて、大いに活用されてきたところであります。

今回の改訂は、平成から令和への改元に伴う読替えや、押印を必要とする書式の見直しなどを行うとともに、『議員必携　第12次改訂新版』の発行に併せ、内容の所要の見直しを行ったものであります。

本書が、地方議会関係者に広く活用され、適正で効率的な議会運営の一助となることを期待するものであります。

令和五年四月

全国町村議会議長会

会長　南　雲　　正

凡例

一　本書の「議事次第書」の順序は、原則として「標準」町村議会会議規則、同委員会条例及び地方自治法その他の法令の条項配列の順序によった。また、「書式例」は、便宜上「本会議関係」及び「委員会関係」に区分し、通常の議会運営の順序等を考慮して配列した。

二　各項標題の下のかっこ内は次の略示である。

例

（標規四1）「標準」町村議会会議規則第四条第一項

（標委五1）「標準」町村議会委員会条例第五条第一項

（法一一四2）　地方自治法第百十四条第二項（他の法令もこれに準ずる）

三　けい線による左右割り書は、場合に応じそのいずれかを使用することを示す。

四　「○○○○」・「△△△△」等の標示は、それぞれ該当の文字を充てることを示す。

五　議案の件名を宣告するのは、次の場合とした。

議題とするとき
採決するとき
採決後の宣告をするとき

六　（　）内の表現は、必要に応じて使用することを示した。

例（したがって）

七　動議による賛成者については、標規一六では「一人以上」と規定されているので、賛成の声があれば成立するが、会議規則に二人以上複数の賛成者数が規定されている場合は、（○人以上の）内の○に人数を記入して使用することを示した。

八　書式例の宛名の敬称は、「殿」で表わしているが「様」でもよい。

九　書式例の印の標示は、[印]は公印、㊞は私印を示し、連署の場合は私印を押さず署名のみとした。また、書式例のうち、当該町村の議会・執行機関内部に対して行うものについては、当該町村内部における手続きであり、文書内容の真正性は担保されていると考えられることから印の標示をせず記名のみで可とした。ただし、当該町村内部における手続きであっても、身分・就退・選挙に関するものについては、個人の重要な権利義務の基礎となる手続きであり、文書内容の真正性がより求められる性質のものであることから、署名又は記名押印とした。加えて、「標準」町村議会会議規則において、請願の紹介議員は署名又は記名押印を要することから、請願の紹介取消しについても同様の手続きになると考え、署名又は記名押印とした。

十　末尾に掲げた議事次第書の事項別索引は、実務上の便益を考慮したものである。

議会議事次第書

1

目次

一般選挙後初めての議会における議長選挙終了まで

一　臨時議長の紹介及びあいさつ（法一〇七）……25
二　開会宣告（標規八）……26
三　仮議席の指定（標規四1関連）……26
四　議長選挙（法一〇三）……26

会議規則関係

1　議　席（標規四1 2 3）……31
一　議席の指定（標規四1）……31
二　再選挙又は補欠選挙により当選した議員の議席の指定（標規四2）……31
三　議席の変更（標規四3）……32
2　会　期（標規五1・六）……33
一　会期の決定（標規五1）……33

二　会期の延長（標規六）……33
(1)　日程にある場合……33
(2)　日程にない場合……34
ア　議長発議による場合……34
イ　動議による場合……36
3　議会の開会（標規八）……38
一　開会宣告（標規八）……38
4　開議、散会、延会、中止又は休憩及び退席の制止（標規一一・一二・二五、法一一四・一二九）……39
一　開議宣告（標規一一1、法一一四1）……39
二　散　会（標規一一1・二五1、法一二九2）……39
(1)　通常の場合……39
(2)　開議請求による場合……39
(3)　議場整理困難の場合……41
三　延　会（標規一一1・一二1 3・二五2）……41
(1)　議会の議決による場合……41
ア　議長発議による場合……41

イ　動議による場合……42
(2)　定足数に達しない場合……43
(3)　会議中定足数が欠けた場合……43
四　中止又は休憩（標規一一1・一二3、法一一四2・一二九2）……44
(1)　議長宣告による場合……44
ア　通常の場合……44
イ　会議中定足数が欠けた場合……44
(2)　議会の議決による場合……45
ア　議長発議による場合（開議請求による開議の場合に限る）……45
イ　動議による場合……46
(3)　議場整理困難の場合……47
五　退席の制止（標規一一2）……47
5　会議時間の変更（標規九2）……48
一　開議時刻の繰上げ又は繰下げ（標規九2）……48
(1)　議長宣告による場合……48
(2)　動議による場合……49
二　会議時間の延長（標規九2）……50

(1) 議長宣告による場合 …… 50
(2) 動議による場合 …… 51

6 休会、休会の日の開議及び開議請求による開議（標規一〇、法一一四1）…… 53
一 休会の議決（標規一〇2）…… 53
(1) 議長発議による場合 …… 53
(2) 動議による場合 …… 53
二 休会の日の開議（標規一〇34）…… 54
(1) 議長宣告による場合 …… 55
(2) 議会の議決による場合 …… 55
ア 議長発議による場合 …… 55
イ 動議による場合 …… 55
三 開議請求による開議（法一一四1）…… 56
(1) 休会の日に開く場合 …… 56
(2) 休憩中に開く場合 …… 57
(3) 散会後に開く場合 …… 57

7 議会の閉会（標規七・八）…… 58
一 会期中の閉会（標規七）…… 58

二　閉会宣告（標規八）……58

8　諸般の報告……60

9　行政報告……61

10　動　議（標規一六・一九）……62

一　日程追加を要しない動議（標規一六）……62

二　日程追加を要する動議（標規一六）……63

三　先決動議の措置（標規一九）……64

11　事件の撤回又は訂正及び動議の撤回（標規二〇1）……66

一　日程にある場合（標規二〇1）……66

二　日程追加の場合（標規二〇1）……67

12　議事日程（標規二二）……70

一　日程の順序変更（標規二二）……70

(1)　議長発議による場合……70

(2)　動議による場合……71

二　日程の追加（標規二二）……72

(1)　議長発議による場合……72

(2)　動議による場合……74

13 選　挙（標規二六・二八・二九・三〇・三一・三二・三三、法一〇三1・一〇六2・一一八1 2 3・一八二1 2 3・二八七関連）……76

一　投票による場合（法一一八1）……76
二　指名推選による場合（法一一八2）……79
(1)　議長発議による場合……79
(2)　動議による場合……81
三　得票数が同数となった場合（法一一八1）……82
四　投票数が出席議員数より不足した場合……85
五　得票数が法定得票数に満たなかった場合……86
六　当選人が当選を承諾しなかった場合……87
(1)　選挙に引き続く場合……87
(2)　日程追加の場合……87
七　代理投票（議長が代理投票を認めた場合）（法一一八1）……88
八　投票の効力に関する異議（法一一八1）……89
九　選挙管理委員及び同補充員の選挙（法一一八1 2 3・一八二1 2 3）……91
(1)　投票による場合……91
(2)　指名推選による場合……92

ア　選挙管理委員……92
イ　選挙管理委員補充員……93
14　議　　題（標規三六・三七）……96
一　議題の宣告（標規三六）……96
二　一括議題（標規三七）……96
15　議案等の朗読、説明、質疑及び委員会付託（標規三八・三九）……98
一　議案等の朗読（標規三八）……98
二　提出者の説明（標規三九1）……98
三　提出者の説明省略（標規三九2）……98
(1)　議長発議による場合……99
(2)　動議による場合……99
四　議案等に対する質疑（標規三九1）……100
五　議案等の委員会付託（標規三九1）……101
六　議案等の委員会付託及び省略（標規三九の参考規定を採用した場合）……102
(1)　委員会付託……102
ア　通常の場合……102
イ　議案付託表による場合……102

(2) 委員会付託の省略……103
ア 議長発議による場合……103
イ 動議による場合……104
16 委員長報告及び少数意見の報告並びに省略（標規四一）……106
一 委員長報告（標規四一1）……106
二 少数意見の報告（標規四一2）……106
三 委員長及び少数意見の報告の省略（標規四一3）……107
(1) 議長発議による場合……107
(2) 動議による場合……108
17 修正案の説明（標規四二）……110
18 委員長報告、少数意見の報告及び修正案に対する質疑（標規四三）……110
19 委員会の審査又は調査の期限（標規四六）……111
一 審査又は調査の期限（標規四六1）……111
(1) 委員会付託と同時に期限を付ける場合……111
ア 議長発議による場合……111
イ 動議による場合……112
(2) 委員会において審査（調査）中の場合……113

一　付託事件の継続審査又は調査……132
二　特定事件の継続調査（標規七五関連）……133
（1）常任委員会の場合……133
（2）議会運営委員会の場合……134
23　議事又は発言の継続（標規四九・五八）……135
一　延会の場合（標規四九・五八）……135
二　中止又は休憩の場合（標規四九・五八）……135
24　討　論（標規四四・五二）……136
一　討論がある場合（標規四四・五二）……136
二　討論がない場合（標規四四・五二）……137
25　質疑又は討論の終了（標規五九）……139
一　議長宣告による場合（標規五九1）……139
二　動議による場合（標規五九2）……139
（1）質疑の終了……139
（2）討論の終了……140
26　発言内容の制限（標規五四）……142
27　質疑、質問が制限回数を超える場合（標規五五）……143

(1)　許可の場合……143
(2)　不許可の場合……143
28　発言時間の制限（標規五六）……144
一　発言時間の制限（標規五六1）……144
二　発言時間の制限に対する異議（標規五六2）……144
三　発言時間の制限を超過した場合……145
29　議事進行の発言の制止（標規五七2）……146
30　質　問（標規六一・六二）……147
一　一般質問（標規六一）……147
二　緊急質問（標規六二）……147
(1)　文書による場合……147
(2)　口頭による場合……148
(3)　制　止……149
31　発言の取消し（標規六四）……151
32　表　決（標規七八・八一・八二・八三・八五・八七・八八、法一一六）……153
一　表決問題の宣告（標規七八）……153
(1)　通常の場合……153

(2) 一括採決の場合……153
二 起立表決（標規八一 1）……153
(1) 本会議のみにおいて審議する場合……153
(2) 委員会付託の場合……154
ア 委員長報告可決の場合……154
イ 委員長報告否決の場合……154
ウ 委員長報告修正の場合……155
三 起立者の多少の認定が困難な場合（標規八一 2）……156
四 議長の宣告に対し異議がある場合（標規八一 2）……156
五 投票表決（標規八二・八三・八五）……157
(1) 議長宣告による場合……157
(2) 議員の要求による場合……157
ア 記名又は無記名の要求がある場合……157
イ 同時に記名と無記名の要求がある場合……157
六 記名投票及び無記名投票（標規八二・八三・八四・八五）……158
七 簡易表決（標規八七）……161
八 表決の順序（標規八八）……162

(1) 議員提出修正案否決及び可決の場合 …… 162
(2) 議員提出修正案否決、委員会報告修正の場合 …… 163
(3) 議員提出修正案と委員会修正案とが一部共通の場合 …… 164
九 議長裁決（法一一六1） …… 167
33 議決事件の字句及び数字等の整理（標規四五） …… 168
34 請　願（標規九二） …… 169
一 請願の委員会付託（標規九二1） …… 169
(1) 常任委員会に付託の場合 …… 169
議会運営
ア 請願文書表の場合 …… 169
イ 請願書の写しの場合 …… 169
(2) 特別委員会に付託の場合 …… 170
二 請願の採決 …… 171
(1) 委員会付託省略の場合 …… 171
(2) 委員長報告が採択の場合 …… 172
(3) 委員長報告が不採択の場合 …… 173
(4) 請願を採択／不採択とみなす場合 …… 173
三 紹介議員の紹介の取消し（標規九〇） …… 174

35 秘密会（標規一八・九六、法一一五1 2）……175
一 議長発議による場合……175
二 議員の動議による場合……176
三 指定者以外の退場要求……177
36 公聴会開催の決定（標規一一七、法一一五の二1）……178
(1) 議長発議による場合……178
(2) 動議による場合……178
(3) 日程にある場合……179
37 公述人の決定（標規一一九、法一一五の二1）……181
38 公聴会の運営（標規一二〇・一二一、法一一五の二1）……183
39 参考人招致の決定（標規一二三、法一一五の二2）……185
(1) 議長発議による場合……185
(2) 動議による場合……185
(3) 日程にある場合……186
40 参考人からの意見聴取（標規一二三、法一一五の二2）……188
41 辞職（標規九八2 3・九九2、法一〇八・一二六）……190
一 議長及び副議長の辞職（標規九八2 3、法一〇八）……190

二　議員の辞職（標規九九、法一二六）……193
42　資格の決定（標規一〇〇・一〇一、法一二七）……195
一　資格決定の要求（標規一〇〇、法一二七）……195
二　資格決定の特別委員会付託（標規一〇一、標委六）……196
(1)　議長発議による場合……196
(2)　動議による場合……198
(3)　委員会条例の規定による自動設置の場合（標委六）……198
三　資格決定の会議（標規一〇二）……199
43　懲　罰（標規一一〇・一一一・一一二・一一三・一一四・一一五・一一六、法一三三・一三五・一三七）……204
一　懲罰動議（標規一一〇、法一三五2）……204
(1)　日程追加の場合……204
(2)　日程にある場合……206
二　懲罰動議の特別委員会付託（標規一一一、標委六）……207
(1)　議長発議による場合……207
(2)　動議による場合……208
(3)　委員会条例の規定による自動設置の場合（標委六）……209

三　代理弁明の同意（標規一一二）……210
四　懲罰事犯の会議（標規一一一）……211
(1)　戒告又は陳謝の表決……211
(2)　出席停止の表決……213
(3)　除名の表決……214
(4)　委員長報告による特定の懲罰が否決され、他の種の懲罰を科す場合……216
(5)　懲罰を科さない場合……217
五　欠席議員の懲罰（法一三七）……218
(1)　日程にある場合……218
(2)　日程にない場合……219
六　侮辱に対する処置（法一三三）……220
(1)　日程にある場合……220
(2)　日程にない場合……222
七　出席停止期間中出席したときの措置（標規一一五）……223
44　**会議録署名議員の指名**（標規一二七）……224
45　**新議員の紹介**（参考）……225

委員会条例関係

46 特別委員会設置及び付託並びに選任（標委五）……226
一 議長発議による場合……226
二 動議による場合……227
三 日程にある場合……228
四 特別委員の選任（標委七4）……229
47 委員の選任、所属変更及び辞任（標委七4 6・一二）……230
一 常任委員の選任（標委七4）……230
二 議会運営委員の選任（標委七4）……231
三 常任委員の所属変更（標委七6）……232
(1) 双方の申し出による場合……232
(2) 欠員による補充の場合……232
四 委員の辞任（標委一二2）……234
五 議長の常任委員の辞任（標委七4関連）……234

地方自治法その他の法令に基づくもの

48 条例制定又は改廃請求代表者の意見陳述（法七四4）……236
一 意見陳述の日時、場所等の決定……236
二 意見陳述……237
49 事務検査（法九八1）……239
50 監査請求（法九八2）……242
51 調　査（法一〇〇、民事訴訟法一九〇ないし二〇六）……245
一 調査に関する決議……245
二 証人宣誓（法一〇〇2）……247
三 声明の要求（法一〇〇5）……250
四 委員会の調査終了後の取扱い……251
五 告　発（法一〇〇9）……252
(1) 出頭又は記録を提出しない場合の告発（法一〇〇3）……252
(2) 虚偽の陳述に対する告発（法一〇〇7）……253
ア 委員会の報告を議決してから告発する場合……253
イ 委員会の報告を議決しないで告発する場合……254

52 議員派遣（法一〇〇13）……257
53 専門的知見の活用（法一〇〇の二）……258
(1) 議長発議による場合……258
(2) 動議による場合……258
(3) 日程にある場合……259
54 臨時会における緊急を要する事件の認定（法一〇二6）……260
一 議長発議による場合……260
二 動議による場合……261
55 仮議長の選任委任（法一〇六3）……264
56 除　斥（法一一七）……265
一 除斥の認定に疑いのない場合……265
二 除斥の認定に疑いのある場合……265
(1) 議長発議による場合……265
(2) 動議による場合……266
三 除斥議員の出席発言（法一一七ただし書）……268
57 議場の秩序維持（標規一〇四・一〇五・一二六、法一二九・一三〇・一三一）……269
一 言動の制止（標規一〇四、法一二九1）……269

二　離席の禁止（標規一〇五）……269
三　発言の取消し（法一二九1）……269
(1)　議長職権による場合……269
(2)　議員の要求による場合……270
四　発言の禁止（法一二九1）……270
五　退　去（法一二九1）……271
六　傍聴人の制止・退場命令（法一三〇1 2）……271
(1)　制　止……271
(2)　退　場……272
58　**任命同意・選任同意**（法一六二・一九六1、地方教育行政の組織及び運営に関する法律四1 2、地方公務員法九の二2、地方税法四〇四2・四二三3、農業委員会等に関する法律八1）……273
59　**長の退職同意**（法一四五ただし書）……275
60　**再議及び再選挙**（法一七六・一七七）……277
一　特別多数議決を要する再議（法一七六1 2 3）……277
(1)　長提出議案を修正議決したところ、再議に付された場合……277
(2)　議員（委員会）提出議案の再議……278

二　過半数議決による再議（法一七六1 2・一七七1）……279
(1)　条例・予算以外の一般再議（法一七六1 2）……279
ア　長提出議案を修正議決したところ、長が再議に付した場合……279
イ　議員（委員会）提出議案の再議……280
(2)　義務経費及び非常の災害に因る経費の再議（法一七七1）……281
三　権限を超え又は法令等に違反した再議又は再選挙（法一七六4）……282
(1)　再　議（法一七六4）……282
(2)　再選挙（法一七六4）……284
61　長の不信任議決（法一七八1 3）……286
62　専決処分の承認（法一七九）……289
63　選挙管理委員の罷免（法一八四の二）……291
一　提出者の説明……291
二　罷免に対する質疑……291
三　罷免の委員会付託（法一八四の二1）……291
(1)　常任委員会付託……291
ア　議長発議による場合……292
イ　動議による場合……292

(2) 特別委員会付託……293
ア 議長発議による場合……293
イ 動議による場合……294
四 罷免の会議……294

64 任命・選任した行政委員会委員の罷免同意（法一九七の二、地方公務員法九の二6、地方教育行政の組織及び運営に関する法律七1 3、地方税法四二七、農業委員会等に関する法律一一1）……296
一 公聴会を開いてから議決する場合（法一九七の二、地方公務員法九の二6）……296
(1) 提出者の説明……296
(2) 罷免に対する質疑……296
(3) 罷免の委員会付託……297
(4) 罷免の会議……297
二 公聴会を開かないで議決する場合（地方教育行政の組織及び運営に関する法律七1、地方税法四二七、農業委員会等に関する法律一一1）……297

65 諮問に対する答申（法二〇六3・二二九3・二三一の三8・二三八の七3・二四三の二の二12・二四四の四3、人権擁護委員法六3等）……299

一　委員会審査を経ないで答申する場合……299
二　委員会審査を経て答申する場合……300
66 決算認定（委員会に付託の場合）（法二三三）……302
67 「地方公共団体の議会の解散に関する特例法」に基づく解散……304
一　日程にある場合……304
二　日程にない場合……308

一般選挙後初めての議会における議長選挙終了まで

一　臨時議長の紹介及びあいさつ（法一〇七）

○事務局長　事務局長の〇〇です。

本（臨時会／定例会）は、一般選挙後、初めての議会です。

議長が選挙されるまでの間、地方自治法第百七条の規定によって、出席議員の中で、年長の議員が臨時に議長の職務を行うことになっています。

年長の〇〇〇〇議員を、ご紹介します。

（年長の議員〇〇〇〇君　議長席に着く）

○臨時議長　ただいま紹介されました〇〇〇〇です。

（地方自治法第百七条の）規定によって、臨時に議長の職務を行います。

どうぞ、よろしくお願いします。

二　開会宣告（標規八）

○臨時議長　ただいまから令和○年｛第○回／○月｝○○町（村）議会｛臨時会／定例会｝を開会します。
本日の会議を開きます。

三　仮議席の指定（標規四1関連）

○臨時議長　日程第○、「仮議席の指定」を行います。
「仮議席」は、ただいま着席の議席とします。
（**注**）仮議席は、会議前に協議した議席又はくじで定めたとおりの議席とする。

四　議長選挙（法一〇三）

○臨時議長　日程第○、「議長の選挙」を行います。
選挙は、投票で行います。
議場の出入口を閉めます。
（議場を閉める）

○臨時議長　ただいまの出席議員数は、○○人です。
○臨時議長　次に、立会人を指名します。
　会議規則第三十二条第二項の規定によって、立会人に○○○○君及び△△△△君を指名します。
○臨時議長　投票用紙を配ります。
（念のため申し上げます）投票は、単記無記名です。
（投票用紙の配布）
○臨時議長　投票用紙の配布漏れは、ありませんか。
（なし）
○臨時議長　「配布漏れなし」と認めます。
○臨時議長　投票箱を点検します。
（投票箱の点検）
○臨時議長　「異状なし」と認めます。
　ただいまから投票を行います。
　事務局長（職員）が議席番号と氏名を呼び上げますので、順番に投票願います。

（点　　呼）

（○番　○○議員）

（注）議長が「一番議員から順番に投票願います」という方法もある。

（投　　票）

○臨時議長　投票漏れは、ありませんか。

（な　　し）

○臨時議長　「投票漏れなし」と認めます。

○臨時議長　投票を終わります。

○臨時議長　開票を行います。

○臨時議長　○○○○君及び△△△△君。開票の立ち会いをお願いします。

（開　　票）

○臨時議長　選挙の結果を報告します。

投票総数　○○票

有効投票　○○票

無効投票　○○票　です。

有効投票のうち

〇〇〇〇君　〇〇票

△△△△君　〇〇票

以上のとおりです。

この選挙の法定得票数は、〇〇票です。

（したがって）〇〇〇〇君が議長に当選されました。

〇臨時議長　議場の出入口を開きます。

（議場を開く）

〇臨時議長　ただいま、議長に当選された〇〇〇〇君が議場におられます。会議規則第三十三条第二項の規定によって、当選の告知をします。

（当選人発言を求める）

〇臨時議長　〇〇〇〇君。

（議長当選承諾及びあいさつ）

〇臨時議長　〇〇議長。議長席にお着き願います。

（〇〇議長、議長席に着く）

（注）

1　指名推選の方法による場合は、「13　選挙」の項の「二　指名推選による場合」（七九頁）を参照。

2　得票数が同数である場合は、「13　選挙」の項の「三　得票数が同数となった場合」（八二頁）を参照。

会議規則関係

1 議　席（標規四1 2 3）

一 議席の指定（標規四1）

○議長 日程第○、「議席の指定」を行います。

議席は、会議規則第四条第一項の規定によって {お手元に配りました議席表のとおり / ただいま着席のとおり} 指定します。

二 再選挙又は補欠選挙により当選した議員の議席の指定（標規四2）

○議長 日程第○、「○○○○君の議席の指定」を行います。

今回、当選された○○○○君の議席は、会議規則第四条第二項の規定によって、○番に指定します。

三　議席の変更（標規四3）

○議長　日程第○、「議席の一部変更」を行います。

（「今回、新たに当選された○○○○君の議席に関連し」・「議長、副議長の選挙に伴い」等その理由を述べる）会議規則第四条第三項の規定によって、議席の一部を変更します。

○○○○君の議席を○番に、△△△△君の議席を△番に、それぞれ変更します。

変更した議席は、お手元に配りました（変更）議席表のとおりです。

その議席番号及び氏名を職員に朗読させます。（職員が変更の議席番号及び氏名を朗読）

2 会　期（標規五1・六）

一 会期の決定（標規五1）

○議長 日程第○、「会期決定の件」を議題にします。

お諮りします。

本（定例会／臨時会）の会期は、本日から○月○日までの○日間にしたいと思います。

ご異議ありませんか。

（異議がないとき）

○議長 「異議なし」と認めます。

（したがって）会期は、本日から○月○日までの○日間に決定しました。

二 会期の延長（標規六）

(1) 日程にある場合

○議長 日程第○、「会期延長の件」を議題にします。

お諮りします。
本定例会／臨時会の会期は、本日／○月○日までと議決されていますが、○○の都合によって○月○日まで／○月○日から○月○日までの○日間、延長したいと思います。

ご異議ありませんか。

（異議がないとき）

○議長　「異議なし」と認めます。
（したがって）会期は、○月○日まで／○月○日から○月○日までの○日間延長することに決定しました。

⑵ 日程にない場合

ア 議長発議による場合

○議長　お諮りします。
「会期延長の件」を日程に追加し、追加日程第○として、（日程の順序を変更し、直ちに）議題にしたいと思います。
ご異議ありませんか。

（異議がないとき）

○議長　「異議なし」と認めます。

（したがって）「会期延長の件」を日程に追加し、追加日程第○として、（日程の順序を変更し、直ちに）議題とすることに決定しました。

追加日程第○、「会期延長の件」を議題にします。

お諮りします。

本（定例会｜臨時会）の会期は、（本日｜○月○日）までと議決されていますが、○○の都合によって（○月○日まで｜○月○日から○月○日までの）○日間、延長したいと思います。

ご異議ありませんか。

（異議がないとき）

○議長　「異議なし」と認めます。

（したがって）会期は、（○月○日まで｜○月○日から○月○日までの）○日間、延長することに決定しました。

イ　動議による場合

○議員　『動議を提出します。

　○○の都合によって（又は会期の延長を要する理由を簡単に述べる）本定例会／臨時会の会期を○月○日まで○日間、延長することを望みます』

（賛　成）

○議長　ただいま、○○○○君から、本定例会／臨時会の会期を、○月○日まで○日間、延長することの動議が提出されました。

　この動議は、（○人以上の）賛成者がありますので、成立しました。

　お諮りします。

　この動議を日程に追加し、追加日程第○として、（日程の順序を変更し、直ちに）議題とすることにご異議ありませんか。

（異議がないとき）

○議長　「異議なし」と認めます。

　（したがって）この動議を日程に追加し、追加日程第○として、（日程の順序を変更し、直ちに）議題とすることに決定しました。

追加日程第○、会期延長の動議を議題として、採決します。
この採決は、起立によって行います。
この動議のとおり決定することに賛成の方は、起立願います。

（賛成者起立）

○議長　起立｛多数／少数｝です。
（したがって）本｛定例会／臨時会｝の会期を○月○日まで○日間延長することの動議は、｛可決／否決｝されました。
されました。

（注）「（日程の順序を変更し、直ちに）」とあるのは、日程の最初又は中途で議題とする場合に用いる。

3 議会の開会（標規八）

一 開会宣告（標規八）

○議長 ただいまから、令和○年（第○回／○月）○○町（村）議会（定例会／臨時会）を開会します。

4 開議、散会、延会、中止又は休憩及び退席の制止（標規一一・一二・二五、法一一四・一二九）

一　開　議　宣　告（標規一一1、法一一四1）

○**議長**　これから、本日の会議を開きます。

……………………………………

○**議長**　休憩前に引き続き会議を開きます。

二　散　　会（標規一一1・二五1、法一二九2）

(1)　通常の場合

○**議長**　以上で、本日の日程は、全部終了しました。
本日は、これで散会します。

(2)　開議請求による場合

○**議長**　お諮りします。

以上で、本日の日程は、全部終了しました。本日は、これで散会したいと思います。ご異議ありませんか。

（異議がないとき）

○議長　「異議なし」と認めます。

（したがって）本日は、これで散会することに決定しました。

本日は、これで散会します。

（異議があるとき）

○議長　異議がありますので、起立によって採決します。

本日は、これで散会することに賛成の方は、起立願います。

（賛成者起立）

○議長　起立［多数／少数］です。

（したがって）本日は、これで散会することは、

［可決されました。
本日は、これで散会します。］

［否決されましたので、会議を続けます。］

(3)　議場整理困難の場合

○議長　地方自治法第百二十九条第二項の規定によって、本日の会議を閉じます。

三　延　　会（標規一一1・一二13・二五2）

(1)　議会の議決による場合

ア　議長発議による場合

○議長　お諮りします。

本日の会議は、これで延会したいと思います。ご異議ありませんか。

（異議がないとき）

○議長　「異議なし」と認めます。

（したがって）本日は、これで延会することに決定しました。

本日は、これで延会します。

（異議があるとき）

○議長　異議がありますので、起立によって採決します。

本日は、これで延会することに賛成の方は、起立願います。

（賛成者起立）

○**議長**　起立（多数／少数）です。

（したがって）本日は、これで延会することは、

（可決されました。

否決されましたので、会議を続けます。）

本日は、これで延会します。

イ　動議による場合

○**議員**　『動議を提出します。

本日の会議は、これで延会することを望みます』

（賛　成）

○**議長**　ただいま、○○○○君から、本日の会議は延会することの動議が提出されました。

この動議は、（○人以上の）賛成者がありますので、成立しました。

延会の動議を議題として、採決します。

この採決は、起立によって行います。

この動議のとおり決定することに賛成の方は、起立願います。

（賛成者起立）

○議長　起立〔多数／少数〕です。

（したがって）本日は、これで延会することの動議は、

〔可決されました。

本日は、これで延会します。〕

〔否決されましたので、会議を続けます。〕

(2)　定足数に達しない場合

○議長　本日は、会議を開く時刻を相当過ぎています。

しかし、出席議員が定足数に達しません。

（したがって）会議規則第十二条第一項の規定によって延会します。

(3)　会議中定足数が欠けた場合

○議長　ただいま出席議員が定足数を欠きましたので、会議規則第十二条第三項の規定によって、本日の会議を延会します。

四　中止又は休憩（標規一一1・一二3、法一一四2・一二九2）

(1)　議長宣告による場合

ア　通常の場合

○議長　しばらく（暫時）休憩します。
○分間
（異議があるとき）
○議長　異議がありますので、起立によって採決します。しばらく（暫時）休憩することに賛成の方は、起立願います。
○分間
（賛成者起立）
○議長　起立　多数／少数　です。しばらく（暫時）休憩することは、可決されました。／否決されましたので、会議を続けます。
○分間

イ　会議中定足数が欠けた場合

○議長　ただいま出席議員が定足数を欠きましたので、会議規則第十二条第三項の規定によって、しばらく（暫時）休憩します。

(2) 議会の議決による場合

ア 議長発議による場合（開議請求による開議の場合に限る）

○議長　お諮りします。しばらく（暫時）／○分間　休憩したいと思います。ご異議ありませんか。

（異議がないとき）

○議長　「異議なし」と認めます。（したがって）しばらく（暫時）／○分間　休憩することに決定しました。しばらく（暫時）／○分間　休憩します。

（異議があるとき）

○議長　異議がありますので、起立によって採決します。しばらく（暫時）／○分間　休憩することに賛成の方は、起立願います。

（賛成者起立）

○議長　起立　多数／少数　です。（したがって）しばらく（暫時）／○分間　休憩することは、可決されました。
否決されましたので、会議を続けます。
しばらく（暫時）
○分間
休憩します。

イ　動議による場合

○議員　『動議を提出します。
しばらく（暫時）
○分間
休憩することを望みます』

（賛　成）

○議長　ただいま、○○○○君から、しばらく（暫時）
○分間
休憩することの動議が提出されました。

この動議は、（○人以上の）賛成者がありますので、成立しました。

休憩の動議を議題として、採決します。

この採決は、起立によって行います。

この動議のとおり決定することに賛成の方は、起立願います。

（賛成者起立）

○議長　起立（多数／少数）です。（したがって）休憩することの動議は、（可決されました。／否決されましたので、会議を続けます。）

（しばらく（暫時）休憩します。／○分間）

（しばらく（暫時）休憩します。／○分間）

(3)　**議場整理困難の場合**

○議長　地方自治法第百二十九条第二項の規定によって、しばらく（暫時）会議を中止します。

五　退席の制止（標規一二2）

○議長　ご注意します。

定足数を欠くおそれがありますので、会議規則第十二条第二項の規定によって退席しないように求めます。

5　会議時間の変更（標規九2）

一　開議時刻の繰上げ又は繰下げ（標規九2）

(1) 議長宣告による場合

○議長　○月○日の会議は、○○の都合によって（又は会議の開始時刻の繰上げ（繰下げ）を要する理由を簡単に述べる）特に午　○時に繰り上げ（繰り下げ）て開くことにします。

（議長宣告に対し○人以上から異議があるとき）

○議長　ただいまの会議の開始時刻の繰上げ（繰下げ）に対して、○人以上から異議がありますので、起立によって採決します。

○月○日の会議を、午　○時に繰り上げ（繰り下げ）て開くことに賛成の方は、起立願います。

（賛成者起立）

○議長　起立（多数／少数）です。

（したがって）○月○日の会議を、午　○時に繰り上げ（繰り下げ）て開くことは、可決されました。
否決されました。

（注）議長の宣告に対し異議が○人未満のときは、議長は「異議が○人以上に達しませんので、異議の申し立ては、成立しません」と宣告する。

(2) 動議による場合

○議員　『動議を提出します。

○月○日の会議の開始時刻は、○○の都合によって（又は会議の開始時刻の繰上げ（繰下げ）を要する理由を簡単に述べる）午　○時に繰り上げ（繰り下げ）ることを望みます』

（賛　成）

○議長　ただいま、○○○○君から、○月○日の会議の開始時刻を午　○時に繰り上げ（繰り下げ）ることの動議が提出されました。

この動議は、（○人以上の）賛成者がありますので、成立しました。

会議の開始時刻の繰上げ（繰下げ）の動議を議題として、採決します。

この採決は、起立によって行います。

この動議のとおり決定することに賛成の方は、起立願います。

（賛成者起立）

○議長　起立 多数／少数 です。

（したがって）○月○日の会議の開始時刻を、午　○時に繰り上げ（繰り下げ）ることの動議は、可決されました。／否決されました。

二　会議時間の延長（標規九2）

(1)　議長宣告による場合

○議長　本日の会議時間は、○○の都合によって（又は会議時間の延長を要する理由を簡単に述べる）あらかじめ延長します。

（議長宣告に対し○人以上から異議があるとき）

○議長　ただいまの会議時間の延長に対し、○人以上から異議がありますので、起立によって採決します。

本日の会議時間を延長することに賛成の方は、起立願います。

（賛成者起立）

○議長　起立　多数／少数　です。

（したがって）本日の会議時間を延長することは、可決されました。／否決されました。

(2)　**動議による場合**

○議員　『動議を提出します。

本日の会議は、○○の都合によって（又は会議時間の延長を要する理由を簡単に述べる）会議時間を延長することを望みます』

（賛　　成）

○議長　ただいま、○○○○君から、本日の会議時間を延長することの動議が提出されました。

この動議は、（○人以上の）賛成者がありますので、成立しました。

会議時間延長の動議を議題として、採決します。

この採決は、起立によって行います。

この動議のとおり決定することに賛成の方は、起立願います。

（賛成者起立）

○議長　起立　多数／少数　です。

（したがって）本日の会議時間を延長することの動議は、可決されました。／否決されました。

6　休会、休会の日の開議及び開議請求による開議（標規一〇、法一一四1）

一　休会の議決（標規一〇2）

(1)　議長発議による場合

○議長　お諮りします。

○○の都合によって（又は議案調査、委員会審査のため等）○月○日から○月○日までの○日間、休会としたいと思います。

ご異議ありませんか。

（異議がないとき）

○議長　「異議なし」と認めます。

（したがって）○月○日から○月○日までの○日間、休会とすることに決定しました。

(2)　動議による場合

○議員　『動議を提出します。

○○の都合によって（又は議案調査、委員会審査のため等）○月○日から○月○日まで〇日間、休会とすることを望みます』

（賛　　成）

〇議長　ただいま、〇〇〇〇君から、〇月〇日から〇月〇日までの〇日間、休会とすることの動議が提出されました。

この動議は、（〇人以上の）賛成者がありますので、成立しました。

〇月〇日から〇月〇日までの〇日間、休会とする動議を議題として、採決します。

この採決は、起立によって行います。

この動議のとおり決定することに賛成の方は、起立願います。

（賛成者起立）

〇議長　起立｛多数｜少数｝です。

（したがって）〇月〇日から〇月〇日までの〇日間、休会とすることの動議は、｛可決｜否決｝｛されました。｜されました。｝

二　休会の日の開議（標規一〇３４）

(1)　議長宣告による場合

○議長　○月○日は休会の日ですが、○○の都合によって（又は会議を開くことを要する理由を簡単に述べる）特に会議を開きます。

(2)　議会の議決による場合

ア　議長発議による場合

○議長　お諮りします。

○月○日は休会の日ですが、○○の都合によって（又は会議を開くことを要する理由を簡単に述べる）特に会議を開くことにしたいと思います。

ご異議ありませんか。

（異議がないとき）

○議長　「異議なし」と認めます。

（したがって）○月○日は、特に会議を開くことに決定しました。

イ　動議による場合

○議員　『動議を提出します。

○月○日は休会の日ですが、○○の都合によって（又は会議を開くことを要する理由を簡単に述べる）特に会議を開くことを望みます』

（賛　成）

○議長　ただいま、○○○○君から、○月○日に、特に会議を開くことの動議が提出されました。

この動議は、（○人以上の）賛成者がありますので、成立しました。

休会の日に会議を開く動議を議題として、採決します。

この採決は、起立によって行います。

この動議のとおり決定することに賛成の方は、起立願います。

（賛成者起立）

○議長　起立｛多数／少数｝です。

（したがって）○月○日に、特に会議を開くことの動議は、｛可決されました。／否決されました。｝

三　開議請求による開議（法一一四1）

(1)　休会の日に開く場合

○議長　本日は休会の日ですが、地方自治法第百十四条第一項の規定によって、○○○○君ほか○人から会議を開く請求がありました。

会議を開くことにします。

○議長　これから本日の会議を開きます。

(2)　休憩中に開く場合

○議長　休憩中ですが、地方自治法第百十四条第一項の規定によって、○○○○君ほか○人から会議を開く請求がありました。

休憩前に引き続き会議を開きます。

(3)　散会後に開く場合

○議長　本日の会議は、散会したのですが、地方自治法第百十四条第一項の規定によって、○○○○君ほか○人から会議を開く請求がありました。

さらに会議を開くことにします。

○議長　これから会議を開きます。

7 議会の閉会（標規七・八）

一 会期中の閉会（標規七）

○議長 お諮りします。

本｛定例会・臨時会｝の会議に付された事件は、すべて終了しました。

（したがって）会議規則第七条の規定によって、本日で閉会したいと思います。

ご異議ありませんか。

（異議がないとき）

○議長 「異議なし」と認めます。

（したがって）本｛定例会・臨時会｝は、本日で閉会することに決定しました。

これで本日の会議を閉じます。

令和○年｛第○回・○月｝○○町（村）議会｛定例会・臨時会｝を閉会します。

二 閉会宣告（標規八）

○議長　これで本日の日程は、全部終了しました。

会議を閉じます。

令和○年　第○回／○月　○○町（村）議会　定例会／臨時会　を閉会します。

8
諸般の報告

○議長　日程第○、「諸般の報告」を行います。
これから、「諸般の報告」をします。

（報告事項については、議員の異動・説明員の出席要求等その他「町村議会の運営に関する基準53」を参照）

○議長　これで諸般の報告を終わります。

9 行政報告

○議長　日程第○、行政報告を行います。
　町(村)長から行政報告の申し出がありました。

○議長　これを許します。

　町（村）長　○○○○君。

（報　　告）

○議長　これで行政報告は、終わりました。

10 動議（標規一六・一九）

一 日程追加を要しない動議（標規一六）

（注）議事進行に関する動議等の場合に用いる。

○議長　ただいま、○○○○君から、○○○○することの動議が提出されました。
この動議は、（○人以上の）賛成者がありますので、成立しました。
○○○○の動議を議題として、採決します。
この採決は、起立によって行います。
この動議のとおり決定することに賛成の方は、起立願います。

（賛成者起立）

○議長　起立 多数／少数 です。
（したがって）○○○○の動議は、可決されました。／否決されました。
○○○○します。

二　日程追加を要する動議（標規一六）

（注）議事進行に関する動議及び議題に直接関係のある動議を除いたものに用いる。

○議長　ただいま、○○○○君から、○○○○の動議が提出されました。

この動議は、（○人以上の）賛成者がありますので、成立しました。

○○○○の動議を日程に追加し、追加日程第○として、（日程の順序を変更し、直ちに）議題とすることについて採決します。

この採決は、起立によって行います。

この動議を日程に追加し、追加日程第○として、（日程の順序を変更し、直ちに）議題とすることに賛成の方は、起立願います。

（賛成者起立）

○議長　起立（多数／少数）です。

（したがって）この動議を日程に追加し、追加日程第○として、（日程の順序を変更し、直ちに）議題とすることは、（可決されました。／否決されました。）

追加日程第○、○○○○の動議を議題にします。

（注）1　議題とすることが否決された場合でも、成立した動議は消滅していないので、議長は、この動議を後日、新たに日程に組まなければならない。
2　「（日程の順序を変更し、直ちに）」とあるのは、日程の最初又は中途で議題とする場合に用いる。

三　先決動議の措置（標規一九）

（注）先決動議とは、議題に直接関係ある動議及び議事進行に関する動議等で、その問題を決めなければ議事を進められないものをいう。

○議長　ただいま、○○○○君から、○○○○の動議が提出されました。
また、△△△△君から、△△△△の動議が提出されました。

これらの動議は、いずれも（○人以上の）賛成者がありますので、成立しました。

これらの動議は、いずれも「先決動議」です。

この動議の扱いは、会議規則第十九条の規定によって、議長が表決の順序を定めることになっています。

まず、○○○○君から提出された動議を先に採決します。

（議長の宣告に対し○人以上から異議があるとき）

○議長　ただいまの表決の順序に対して、○人以上から異議がありますので、起立によって採決します。

○○○○君から提出された動議を先に採決することに賛成の方は、起立願います。

（賛成者起立）

○議長　起立 多数／少数 です。

（したがって）○○○○君から提出された動議を先に採決することは、可決されました。／否決されました。

○○○○君の動議／△△△△君の動議 を先に採決しますので、

（注）議長の宣告に対する異議が○人未満のときは、議長は「異議が○人以上に達しておりませんので、異議の申し立ては、成立しません」と宣告する。

11　事件の撤回又は訂正及び動議の撤回（標規二〇1）

一　日程にある場合（標規二〇1）

○議長　日程第○、「○○○○撤回/訂正の件」を議題にします。

○○○○君（○○委員長）/○○町（村）長　から「○○○○撤回/訂正」の理由の説明を求めます。

○○○○君（○○委員長）/○○町（村）長。

（○○○○君（○○委員長）/○○町（村）長　説明）

○議長　お諮りします。

ただいま議題となっています「○○○○撤回/訂正の件」を、許可することにご異議ありませんか。

（異議がないとき）

○議長　「異議なし」と認めます。

（異議があるとき）

○議長　異議がありますので、起立によって

（したがって）「○○○○（撤回／訂正）の件」を、許可することに決定しました。

採決します。

「○○○○（撤回／訂正）の件」を、許可することに賛成の方は、起立願います。

（賛成者起立）

○議長　起立（多数／少数）です。

（したがって）「○○○○（撤回／訂正）の件」は、許可（する／しない）ことに決定しました。

二　日程追加の場合（標規二〇1）

○議長　○月○日（○○○○君ほか○人（○○委員長）／○○町(村)長）から提出された「○○○○」について、（撤回／訂正）したいとの申し出があります。

「○○○○（撤回／訂正）の件」を日程に追加し、追加日程第○として、（日程の順序を変更し、直ちに）議題にしたいと思います。

ご異議ありませんか。

（異議がないとき）

○**議長**　「異議なし」と認めます。

「○○○○（撤回／訂正）の件」を日程に追加し、追加日程第○として、（日程の順序を変更し、直ちに）議題とすることに決定しました。

追加日程第○、「○○○○（撤回／訂正）の件」を議題にします。

○**議長**　○○○○君（○○委員長／○○町（村）長）から「○○○○（撤回／訂正）」の理由の説明を求めます。

○○○○君（○○委員長／○○町（村）長）。

（○○○○君（○○委員長／○○町（村）長）説明）

○**議長**　お諮りします。

ただいま議題となっています「○○○○（撤回／訂正）の件」を、許可することにご異議ありませんか。

（異議がないとき）

○議長　「異議なし」と認めます。

（したがって）「○○○○撤回/訂正の件」を、許可することに決定しました。

（異議があるとき）

○議長　異議がありますので、起立によって採決します。

「○○○○撤回/訂正の件」を、許可することに賛成の方は、起立願います。

（賛成者起立）

○議長　起立多数/少数です。

（したがって）「○○○○撤回/訂正の件」は、許可する/しないことに決定しました。

（**注**）

1　請願の場合は、請願者からの「撤回/訂正の理由の説明」はないので直ちに諮ることになるが、一般的には議長が理由の説明を行っている。

2　「（日程の順序を変更し、直ちに）」とあるのは、日程の最初又は中途で議題とする場合に用いる。

12 議事日程（標規二二）

一 日程の順序変更（標規二二）

(1) 議長発議による場合

○議長 お諮りします。

日程の順序を変更し、日程第○、議案第○号 ○○○○の件 を先に審議したいと思います。

ご異議ありませんか。

（異議がないとき）

○議長 「異議なし」と認めます。

日程の順序を変更し、日程第○、議案第○号 ○○○○の件 を先に審議することに決定しました。

日程第○、議案第○号 ○○○○ ○○○○の件 を議題にします。

（異議があるとき）

○議長 異議がありますので、起立によって採決します。

日程の順序を変更し、日程第○、議案第○号 ○○○○の件 を先に審議することに賛成の方は、起立願います。

（賛成者起立）

○**議長**　起立（多数／少数）です。
（したがって）日程の順序を変更し、日程第○、（議案第○号／○○○○の件）を先に審議することは（可決されました。／否決されました。）
日程第○、（議案第○号／○○○○の件）○○○○を議題にします。

---

(2) 動議による場合

○**議員**　『動議を提出します。
日程の順序を変更し、日程第○、（議案第○号／○○○○の件）を先に審議することを望みます』

（賛　成）

○**議長**　ただいま、○○○○君から、日程の順序を変更し、日程第○、（議案第○号／○○○○の件）を先に審議することの動議が提出されました。
この動議は、（○人以上の）賛成者がありますので、成立しました。

日程の順序を変更し、日程第○、議案第○号 ○○○○の件を先に審議することの動議を議題として、採決します。

この採決は、起立によって行います。

この動議のとおり決定することに賛成の方は、起立願います。

（賛成者起立）
○議長 起立 多数／少数 です。
（したがって）日程の順序を変更し、日程第○、議案第○号 ○○○○の件を先に審議することの動議は、可決されました。／否決されました。

日程第○、議案第○号 ○○○○ ○○○○の件を議題にします。

二 日程の追加（標規二二）

(1) 議長発議による場合

○議長 お諮りします。

ただいま、○○○○君ほか○人（○○委員長）／○○町（村）長から、議案第○号／○○○○の件が提出されました。

これを日程に追加し、追加日程第○として、（日程の順序を変更し、直ちに）議題にしたいと思います。

ご異議ありませんか。

（異議がないとき）

○議長　「異議なし」と認めます。

議案第○号／○○○○の件を日程に追加し、追加日程第○として、（日程の順序を変更し、直ちに）議題とすることに決定しました。

追加日程第○、議案第○号／○○○○の件　○○○○を議題にします。

（異議があるとき）

○議長　異議がありますので、起立によって採決します。

議案第○号／○○○○の件を日程に追加し、追加日程第○として、（日程の順序を変更し、直ちに）議題とすることに賛成の方は、起立願います。

（賛成者起立）

○議長　起立多数／少数です。

（したがって）議案第○号／○○○○の件を日程に追

加し、追加日程第○として、（日程の順序を変更し、直ちに）議題とすることは、
可決されました。
否決されました。

追加日程第○、議案第○号　○○○○
○○○○の件
を議題にします。

（注）　1　否決された場合は、議長は 議案第○号 ○○○○の件 を後日、新たに日程に組まなければならない。
2　「（日程の順序を変更し、直ちに）」とあるのは、日程の最初又は中途で議題とする場合に用いる。

(2)　動議による場合

○議員　『動議を提出します。
○○○○君ほか○人（○○委員長）から提出の 発議（委）第○号 ○○○○の件 は、緊急を要するものと思われます。直ちに日程に追加し、議題とすることを望みます』

（賛　　成）

○議長　ただいま、△△△△君から、発議(委)第○号 ○○○○の件を直ちに日程に追加し、議題とすることの動議が提出されました。

この動議は、(○人以上の)賛成者がありますので、成立しました。

発議(委)第○号 ○○○○の件を直ちに日程に追加し、議題とする動議を採決します。

この採決は、起立によって行います。

この動議のとおり決定することに賛成の方は、起立願います。

(賛成者起立)

○議長　起立 多数/少数 です。

(したがって)発議(委)第○号 ○○○○の件を直ちに日程に追加し、議題とすることの動議は

可決されました。/否決されました。

追加日程第○、発議(委)第○号 ○○○○の件 ○○○○を議題にします。

(注)　否決された場合は、(1)の(異議があるとき)の(注)1(七四頁)による。

13 選　　挙（標規二六・二八・二九・三〇・三一・三二・三三、法一〇三1・一〇六2・一一八1 2 3・一八二1 2 3・二八七関連）

一 投票による場合（法一一八1）

○議長 日程第○、「○○の選挙」を行います。

選挙は、投票で行います。

議場の出入口を閉めます。

（議場を閉める）

○議長 ただいまの出席議員数は、○○人です。

○議長 次に、立会人を指名します。

会議規則第三十二条第二項の規定によって、立会人に○○○○君及び△△△△君を指名します。

○議長 投票用紙を配ります。

（念のため申し上げます）投票は、単記無記名です。

（投票用紙の配布）

○議長　投票用紙の配布漏れは、ありませんか。

（な　　し）

○議長　「配布漏れなし」と認めます。

○議長　投票箱を点検します。

（投票箱の点検）

○議長　「異状なし」と認めます。

ただいまから投票を行います。

事務局長（職員）が議席番号と氏名を呼び上げますので、順番に投票願います。

（点　　呼）

（○番　○○議員）

（投　　票）

(注)　議長が「一番議員から順番に投票願います。」という方法もある。

○議長　投票漏れは、ありませんか。

（な　　し）

○議長　「投票漏れなし」と認めます。

○議長　投票を終わります。

○議長　開票を行います。

○議長　○○○○君及び△△△△君。開票の立ち会いをお願いします。

　　　　（開　　　票）

○議長　選挙の結果を報告します。

　投票総数　○○票

　　有効投票　○○票

　　無効投票　○○票　です。

　有効投票のうち

　　○○○○君　○○票

　　△△△△君　○○票

以上のとおりです。

この選挙の法定得票数は、○○票です。

（したがって）○○○○君が○○に当選されました。

○**議長**　議場の出入口を開きます。

（議場を開く）

（**注**）当選者が議場にいる場合は直ちに口頭で、いない場合は別途文書で会議規則第三十三条第二項の規定による告知を行う（二九頁及び様式16当選の告知を参照）。

二　指名推選による場合（法一一八2）

(1)　議長発議による場合

○**議長**　日程第○、「○○の選挙」を行います。

お諮りします。

選挙の方法については、地方自治法第百十八条第二項の規定によって、指名推選にしたいと思います。

ご異議ありませんか。

（異議がないとき）

○**議長**　「異議なし」と認めます。

（したがって）選挙の方法は、指名推

（異議があるとき）

○**議長**　異議がありますので、選挙の方法は、投票で行うことにします。

選で行うことに決定しました。

○議長　お諮りします。

指名の方法については、議長が指名することにしたいと思います。

ご異議ありませんか。

（注）指名の方法については、指名者をだれにするかを動議によることもできる。

（異議がないとき）

○議長「異議なし」と認めます。

（したがって）議長が指名することに決定しました。

○議長　○○に○○○○君を指名します。

○議長　お諮りします。

ただいま、議長が指名しました○○

（異議があるとき）

○議長　異議がありますので、選挙の方法は、改めて投票にします。

（注）この場合、動議等により指名者を変更して、さらに指名推選の方法を繰り返すこともできる。

○君を○○の当選人と定めることにご異議ありませんか。

（異議がないとき）

○議長　「異議なし」と認めます。

（したがって）ただいま指名しました○○○○君が○○に当選されました。

（注）　当選者が議場にいる場合は直ちに口頭で、いない場合は別途文書で会議規則第三十三条第二項の規定による告知を行う（二九頁及び様式16当選の告知を参照）。

（異議があるとき）

○議長　異議がありますので、選挙の方法は、改めて投票にします。

（注）　この場合、動議等により被指名者を変更して、さらに指名推選の方法を繰り返すこともできる。

(2) 動議による場合

○議員　『動議を提出します。

「○○の選挙」の方法については、地方自治法第百十八条第二項の規定によって指名推選によることを望みます』

（賛　　成）

○議長　ただいま、○○○○君から、「○○の選挙」の方法については、指名推選によることの動議が提出されました。

この動議は、（○人以上の）賛成者がありますので、成立しました。

指名推選による動議を直ちに議題として、採決します。

お諮りします。

この動議のとおり決定することにご異議ありませんか。

（異議がないとき）

○議長　「異議なし」と認めます。

（したがって）「○○の選挙」の方法は指名推選によることの動議は可決されました。

（以下、「二　指名推選による場合」の(1)議長発議による場合の項（七九頁）の例による。）

三　得票数が同数となった場合（法一一八1）

（開　　票）

○議長　選挙の結果を報告します。

投票総数　○○票
　有効投票　○○票
　無効投票　○○票　です。
有効投票のうち
　○○○○君　○○票
　△△△△君　○○票
以上のとおりです。

この選挙の法定得票数は○○票であり、○○○○君と△△△△君の得票数は、いずれもこれを超えております。

両君の得票数は同数です。

この場合、地方自治法第百十八条第一項の規定は、公職選挙法第九十五条第二項の規定を準用して、くじで当選人を決定することになっています。
○○○○君及び△△△△君が議場に
| おられますので、くじを引いていただきます。
| おられませんので、両君に代わり職員にくじを引かせます。

○議長　くじは、二回引きます。
一回目は、くじを引く順序を決めるためのものです。
二回目は、この順序によって、くじを引き、当選人を決定するためのものです。
くじは、抽選器／こより で行います。
□□□□君及び××××君。くじの立ち会いをお願いします。
まず、くじを引く順序を決めるくじを行います。
○○○○君、△△△△君。くじを引いてください。
○○○○君の代わりに□□（職名）、△△△△君の代わりに××（職名）に、くじを引かせます。

（くじを引く）

○議長　くじを引く順序が決定しましたので報告します。
まず、初めに○○○○君、次に△△△△君。
以上のとおりです。
ただいまの順序により、当選人を決定するくじを行います。
○○○○君、△△△△君。くじを引いてください。
職員にくじを引かせます。

（くじを引く）

○議長　くじの結果を報告します。
くじの結果、○○○○君が当選人と決定しました。

○議長　議場の出入口を開きます。

（議場を開く）

四　投票数が出席議員数より不足した場合

（開　票）

○議長　選挙の結果を報告します。
投票総数　○○票
有効投票　○○票
無効投票　○○票　です。
なお、投票総数は、出席議員数より○票不足しておりますが、これは棄権したものとみなします。
有効投票のうち

○○○○君　○○票
△△△△君　○○票
以上のとおりです。
この選挙の法定得票数は、○○票です。
したがって、○○○○君が○○に当選されました。
○議長　議場の出入口を開きます。
（議場を開く）

五　得票数が法定得票数に満たなかった場合

（開　　　　票）
○議長　選挙の結果を報告します。
投票総数　○○票
有効投票　○○票
無効投票　○○票　です。
有効投票のうち

○○○○君　○○票
△△△△君　○○票
……………

以上のとおりです。
この選挙の法定得票数は○○票であり、いずれも法定得票数に達しません。
（したがって）当選人がいませんので、改めて「○○の選挙」を行います。

（注）議長が、一度議場の出入口を開いて、改めて「○○の選挙」を行う。
（以下、本項の「一　投票による場合」（七六頁）の例による。）

六　当選人が当選を承諾しなかった場合

(1) 選挙に引き続く場合

○議長　ただいまの選挙で、○○に当選された○○○○君から、当選を辞退するとの申し出がありました。
改めて選挙を行います。

(2) 日程追加の場合

○議長　○月○日の選挙で、○○に当選された○○○○君から、当選を辞退するとの申し出がありました。

「○○の選挙」を日程に追加し、追加日程第○として、(日程の順序を変更し、直ちに)選挙を行いたいと思います。

ご異議ありませんか。

(異議がないとき)

○議長　「異議なし」と認めます。

(したがって)「○○の選挙」を日程に追加し、追加日程第○として、(日程の順序を変更し、直ちに)選挙を行うことに決定しました。

○議長　追加日程第○、「○○の選挙」を行います。

(注)「(日程の順序を変更し、直ちに)」とあるのは、日程の最初又は中途で議題とする場合に用いる。

七　代理投票(議長が代理投票を認めた場合)(法一一八1)

(投票箱点検の後)

○議長　申し上げます。
○○○○君から、身体の故障のため投票することが困難であることを理由に、代理投票の申し出がありましたので、代理投票を認めることにします。
この場合、地方自治法第百十八条第一項の規定は、公職選挙法第四十八条第二項の規定を準用して、立会人の意見を聴いて投票補助者二人を定めることになっています。

立会人の意見を聴くことにします。

（立会人の意見を聴いて投票補助者二人を定める）
○議長　投票補助者に××（職名）及び□□（職名）を指名します。

八　投票の効力に関する異議（法一一八1）

（○○○○君　異議申し立て）
○議長　ただいまの投票の効力について、○○○○君から異議の申し立てがありますので、発言を許します。
○○○○君。
（○○○○君発言）

〇**議長**　投票の効力についての異議は、地方自治法第百十八条第一項の規定によって、議会が決定することになっています。
（したがって）この投票の効力については、起立によって採決します。
この投票は、〇〇〇〇の理由によって、有効（無効）とすることに賛成の方は、起立願います。

（注）　この場合、当初の決定が有効とされていた場合は有効について諮り、無効とされていた場合は無効について諮るのが一般的である。

（賛成者起立）

〇**議長**　起立 多数／少数 です。
（したがって）この投票 は、有効（無効）とすることに決定しました。／を有効とすることは否決されました。／を無効とすることは過半数に達しません。（したがって）改めて有効とすることについて採決します。

（有効とすることについて採決する場合）

○**議長**　この投票を有効とすることに賛成の方は、起立願います。

（賛成者起立）

○**議長**　起立 多数／少数 です。

（したがって）この投票 は、有効とすることに決定しました。／を有効とすることは否決されました。

九　選挙管理委員及び同補充員の選挙（法一一八123・一八二123）

(1)　投票による場合

（開　票）

○**議長**　選挙の結果を報告します。

投票総数　○○票

有効投票　○○票

無効投票　○○票　です。

有効投票のうち

○○○○君　○○票

△△△△君　○○票

××××君　○○票
□□□□君　○○票
…………………


以上のとおりです。

この選挙の法定得票数は、○○票です。

したがって、○○○○君、△△△△君、××××君。□□□□君。以上の方が選挙管理委員に当選されました。

○議長　議場の出入口を開きます。

（議場を開く）

(2) 指名推選による場合

（「二　指名推選による場合」の次第に従い、指名推選によることを決定の後）

ア　選挙管理委員

○議長　選挙管理委員には、○○○○君、△△△△君、××××君、□□□□君。以上の方を指名します。

○議長　お諮りします。

ただいま、議長が指名しました方を、選挙管理委員の当選人と定めることにご異議ありませんか。

（異議がないとき）

○**議長**　「異議なし」と認めます。

（したがって）ただいま指名しました○○○○君、△△△△君、××××君、□□□□君。以上の方が選挙管理委員に当選されました。

イ　選挙管理委員補充員

（その一）

○**議長**　選挙管理委員補充員には、○○○○君、△△△△君、××××君、□□□□君。以上の方を指名します。

○**議長**　お諮りします。

ただいま、議長が指名しました方を、選挙管理委員補充員の当選人と定めることにご異議ありませんか。

（異議がないとき）

○**議長**　「異議なし」と認めます。

（したがって）ただいま指名しました○○○○君、△△△△君、××××君、□□□□君。以上の方が選挙管理委員補充員に当選されました。

○**議長**　次に、補充の順序について、お諮りします。

補充の順序は、ただいま議長が指名しました順序にしたいと思います。

ご異議ありませんか。

（異議がないとき）

○**議長**　「異議なし」と認めます。

（したがって）補充の順序は、ただいま議長が指名した順序に決定しました。

（その二）

○**議長**　選挙管理委員補充員には、次の方を指名します。

第一順位　○○○○君、第二順位　△△△△君、第三順位　××××君、第四順位□□□□君。以上の方を指名します。

○**議長**　お諮りします。

ただいま、議長が指名しました方を、選挙管理委員補充員の当選人と定めることにご異議ありませんか。

（異議がないとき）

○議長　「異議なし」と認めます。

（したがって）ただいま指名しました第一順位　○○○○君、第二順位　△△△△君、第三順位　××××君、第四順位　□□□□君。以上の方が順序のとおり選挙管理委員補充員に当選されました。

14 議　題（標規三六・三七）

一 議題の宣告（標規三六）

○議長 日程第○、議案第○号　○○○○ ○○○○の件 を議題とします。

二 一括議題（標規三七）

○議長 日程第○、議案第○号　○○○○ ○○○○の件 及び日程第○、議案第○号　○○○○ ○○○○の件 を一括議題とします。

（議長の宣告に対し○人以上から異議があるとき）

○議長 ただいまの一括議題とすることに対し、○人以上から異議がありますので、起立によって採決します。

日程第○及び日程第○を一括議題とすることに賛成の方は、起立願います。

（賛成者起立）

○議長 起立（多数／少数）です。

（したがって）日程第○及び日程第○を一括議題とすることは、可決されました。／否決されました。

（可決された場合）

日程第○、議案第○号　○○○○○○○○の件　及び日程第○、議案第○号　○○○○○○○○の件　を一括議題とします。

15 議案等の朗読、説明、質疑及び委員会付託（標規三八・三九）

一 議案等の朗読（標規三八）

○議長 職員に議案を朗読させます。

（職員朗読）

二 提出者の説明（標規三九1）

○議長 本案｜本件 について 提案理由の説明｜趣旨説明 を求めます。

（注）「説明」には議案等の内容説明を含む。

町（村）長 ○○○○君｜○○○○君（○○委員長）

（町（村）長 ○○○○君｜○○○○君（○○委員長） 説明）

三 提出者の説明省略（標規三九2）

(1) 議長発議による場合

○議長　議案第○号○○○○の件は、会議規則第三十九条第二項の規定によって、提案理由の説明／趣旨説明を省略したいと思います。

ご異議ありませんか。

（異議がないとき）

○議長　「異議なし」と認めます。

（したがって）議案第○号○○○○の件は、提案理由の説明／趣旨説明を省略することに決定しました。

(2) 動議による場合

○議員　『動議を提出します。

ただいま、議題となりました議案第○号○○○○の件は、会議規則第三十九条第二項の規定によって、説明を省略することを望みます』

（賛　成）

○議長　ただいま、○○○○君から、説明を省略することの動議が提出されました。

この動議は、（○人以上の）賛成者がありますので、成立しました。

説明を省略することの動議を議題として、採決します。

この採決は、起立によって行います。

この動議のとおり決定することに賛成の方は、起立願います。

（賛成者起立）

○議長　起立　多数 / 少数　です。

（したがって）　議案第○号 / ○○○○の件　について、説明を省略することの動議は、　可決されました。 / 否決されましたので、説明を求めます。

四　議案等に対する質疑（標規三九1）

○議長　これから質疑を行います。

（質疑があるとき）

（質　疑）

（答　弁）

○議長　ほかに質疑はありませんか。

（ないとき）

（質疑がないとき）

○議長　質疑は、ありませんか。

（ないとき）

○議長　「質疑なし」と認めます。

○議長　これで質疑を終わります。

五　議案等の委員会付託（標規三九1）

○議長　ただいま、議題となっています議案第○号／○○○○の件は、○○常任／議会運営委員会に付託することにしたいと思います。

ご異議ありませんか。

（異議がないとき）

○議長　「異議なし」と認めます。

（したがって）議案第○号／○○○○の件は、○○常任／議会運営委員会に付託することに決定しました。

（異議があるとき）

○議長　異議がありますので、起立によって採決します。

議案第○号／○○○○の件は、○○常任／議会運営委員会に付託することに賛成の方は、起立願います。

（賛成者起立）

○議長　起立多数／少数です。

（したがって）議案第○号／○○○○の件を、○○／議会

［常任／運営］委員会に付託することは、［可決され／否決され］
［ました。／ましたので、本会議で審議します。］

（注）
1　特別委員会に付託の場合は、「46　特別委員会設置及び付託並びに選任」の項（二一六頁）の例による。
2　議案等を委員会に付託する際、内容によっては当該会期中に結論を出すことが困難であると判断されるものがある。このような場合には、委員会付託と併せて、議長発議もしくは議員の動議で会議に諮り、閉会中の継続審査とすることができる。

六　議案等の委員会付託及び省略（標規三九の参考規定を採用した場合）

(1)　委員会付託

ア　通常の場合

○議長　ただいま、議題となっています［議案第○号／○○○○の件］は、［○○常任／議会運営］委員会に付託します。

イ　議案付託表による場合

○議長　ただいま、議題となっています「議案第○号から議案第○号まで及び議案第○

号」は、お手元に配りました議案付託表のとおり、［それぞれ所管の常任／議会運営］委員会に付託します。

（注）1　特別委員会に付託の場合は、「46　特別委員会設置及び付託並びに選任」の項（二二六頁）の例による。

2　議案等を委員会に付託する際、内容によっては当該会期中に結論を出すことが困難であると判断されるものがある。このような場合には、委員会付託と併せて、議長発議もしくは議員の動議で会議に諮り、閉会中の継続審査とすることができる。

3　委員会提出の議案は、委員会に付託しないのが原則であるが、議会の議決で付託することもできる。（標規39②）

(2)　委員会付託の省略

ア　議長発議による場合

○議長　［議案第○号／○○○○の件］は、会議規則第三十九条第三項の規定によって、委員会付託を省略することについて採決します。

この採決は、起立によって行います。

［本案／本件］は、委員会の付託を省略することに賛成の方は、起立願います。

（賛成者起立）

○議長　起立 多数／少数 です。

（したがって） 議案第○号／○○○○の件 について委員会の付託を省略することは、可決されました。／否決されました。

○議長　委員会の付託を省略します。（引き続いて、会議で審議を行います。）

（したがって） 議案第○号／○○○○の件 は、○○常任／議会運営 委員会に付託します。

イ　動議による場合

○議員　『動議を提出します。

ただいま、議題となっています 議案第○号／○○○○の件 は、会議規則第三十九条第三項の規定によって、委員会の付託を省略することを望みます』

（賛　成）

○議長　ただいま、○○○○君から、議案第○号／○○○○の件 は、委員会の付託を省略することの動議が提出されました。

この動議は、（○人以上の）賛成者がありますので、成立しました。

委員会の付託を省略する動議を議題として、採決します。
この採決は、起立によって行います。
この動議のとおり決定することに賛成の方は、起立願います。

（賛成者起立）

○議長　起立（多数／少数）です。
（したがって）（議案第○号／○○○○の件）について委員会の付託を省略することの動議は、
（可決されました。／否決されました。）

○議長　委員会の付託を省略します。（引き続いて、会議で審議を行います。）
（したがって）（議案第○号／○○○○の件）は、（○○常任／議会運営）委員会に付託します。

16　委員長報告及び少数意見の報告並びに省略（標規四一）

一　委員長報告（標規四一1）

○議長　日程第○、議案第○号　○○○○／○○○○の件を議題とします。

本案／本件について委員長の報告を求めます。

○○委員長。

（○○委員長報告）

二　少数意見の報告（標規四一2）

（委員長報告の後）

○議長　次に、本案／本件については、○○○○君から会議規則第七十六条第二項の規定によって、少数意見報告書が提出されています。

少数意見の報告を求めます。

○○○○君。

（○○○○君報告）

（注）　少数意見が二個以上あるときの報告の順序は、議長が定める。

三　委員長及び少数意見の報告の省略（標規四一3）

(1)　議長発議による場合

○**議長**　お諮りします。

本案｜本件についての委員長報告（及び少数意見の報告）は、会議規則第四十一条第三項の規定によって省略することにしたいと思います。

ご異議ありませんか。

（異議がないとき）

○**議長**　「異議なし」と認めます。

（したがって）委員長報告（及び少数意見の報告）は、省略することに決定しました。

（異議があるとき）

○**議長**　異議がありますので、起立によって採決します。

委員長報告（及び少数意見の報告）を省略することに賛成の方は、起立願います。

（賛成者起立）

○議長　起立多数／少数です。

（したがって）委員長報告（及び少数意見の報告）を省略することは、可決され／否決されました。

○議長　委員長の報告を求めます。

○○委員長。

（○○委員長報告）

---

(2)　動議による場合

○議員　『動議を提出します。

本案／本件についての委員長報告（及び少数意見の報告）は、会議規則第四十一条第三項の規定によって省略することを望みます』

（賛　成）

○議長　ただいま、○○○○君から、委員長報告（及び少数意見の報告）は、省略することの動議が提出されました。

この動議は、（○人以上の）賛成者がありますので、成立しました。

○○○○の動議を議題として、採決します。

この採決は、起立によって行います。

この動議のとおり決定することに賛成の方は、起立願います。

（賛成者起立）

○議長　起立 多数／少数 です。

（したがって）委員長報告（及び少数意見の報告）を省略することの動議は、可決されました。／否決されました。

（**注**）　否決された場合は、引き続いて委員長報告を行う。

17　修正案の説明（標規四二）

○議長　本案に対しては、○○○○君ほか○人から、お手元に配りました修正の動議が提出されています。

（したがって）これを本案と併せて議題とし、提出者の説明を求めます。○○○○君。

（○○○○君説明）

18　委員長報告、少数意見の報告及び修正案に対する質疑（標規四三）

（委員長報告、少数意見の報告及び修正案の説明の後）

○議長　これから委員長報告（少数意見の報告及び修正案）に対する質疑を行います。

（以下「**15**　議案等の朗読、説明、質疑及び委員会付託」の項の**四**（一〇〇頁）の例による。）

19　委員会の審査又は調査の期限（標規四六）

一　審査又は調査の期限（標規四六1）

(1)　委員会付託と同時に期限を付ける場合

ア　議長発議による場合

○議長　お諮りします。

ただいま、○○委員会に付託しました議案第○号 ○○○○の件については、会議規則第四十六条第一項の規定によって、○月○日までに審査（調査）を終了するよう期限を付けることにしたいと思います。

ご異議ありませんか。

（異議がないとき）

○議長　「異議なし」と認めます。

（したがって）議案第○号 ○○○○の件については、○月○日までに審査（調査）を

（異議があるとき）

○議長　異議がありますので、起立によって採決します。

議案第○号 ○○○○の件については、○月○日ま

終了するよう期限を付けることに決定しました。

でに審査（調査）を終了するよう期限を付けることに賛成の方は、起立願います。

（賛成者起立）

○議長　起立 多数／少数 です。

（したがって）議案第○号／○○○○の件 については、○月○日までに審査（調査）を終了するよう期限を付けることは、可決されました。／否決されました。

（注）期限については、時刻の指定もできる。

イ　動議による場合

○議員　『動議を提出します。

ただいま、議案第○号／○○○○の件 については、会議規則第四十六条第一項の規定によって、○月○日までに審査（調査）を終了するよう期限を付けることを望みます』

（賛　成）

○議長　ただいま、○○○○君から、議案第○号／○○○○の件については、○月○日までに審査（調査）を終了するよう期限を付けることの動議が提出されました。

この動議は、（○人以上の）賛成者がありますので、成立しました。

○○○○の動議を議題として、採決します。

この採決は、起立によって行います。

この動議のとおり決定することに賛成の方は、起立願います。

（賛成者起立）

○議長　起立多数／少数です。

（したがって）議案第○号／○○○○の件については、○月○日までに審査（調査）を終了するよう期限を付けることの動議は、可決されました。／否決されました。

(2)　委員会において審査（調査）中の場合

ア　議長発議による場合

○議長　日程第○、「○○委員会に付託の議案第○号／○○○○の件について、審査（調査）期限を付ける件」を議題とします。

お諮りします。

○月○日の会議において○○委員会に付託し、審査（調査）中の議案第○号○○○○の件については、会議規則第四十六条第一項の規定によって、○月○日までに審査（調査）を終了するよう期限を付けることにしたいと思います。

ご異議ありませんか。

（異議がないとき）

○議長　「異議なし」と認めます。

（したがって）○○委員会で、審査（調査）中の議案第○号○○○○の件については、○月○日までに審査（調査）を終了するよう期限を付けることに決定しました。

（異議があるとき）

○議長　異議がありますので、起立によって採決します。

○○委員会で、審査（調査）中の議案第○号○○○○の件について、○月○日までに審査（調査）を終了するよう期限を付けることに賛成の方は、起立願います。

（賛成者起立）

○議長　起立{多数／少数}です。
（したがって）○○委員会で、審査（調査）中の{議案第○号／○○○○の件}について、○月○日までに審査（調査）を終了するよう期限を付けることは、{可決されました。／否決されました。}

（注）日程にない場合は、まず日程追加について諮らなければならない。

イ　動議による場合

○議員　『動議を提出します。
○月○日の会議で○○委員会に付託され、審査（調査）中の{議案第○号／○○○○の件}については、会議規則第四十六条第一項の規定によって、○月○日までに審査（調査）を終了するよう期限を付けることを望みます』

（賛　成）

○議長　ただいま、○○○○君から、○○委員会に付託され、審査（調査）中の{議案第○号／○○○○の件}については、○月○日までに審査（調査）を終了するよう期限を付けることの動議が提出されました。

この動議は、（○人以上の）賛成者がありますので、成立しました。

お諮りします。

この動議を日程に追加し、追加日程第○として、（日程の順序を変更し、直ちに）議題とすることにご異議ありませんか。


（異議がないとき）

○議長　「異議なし」と認めます。
（したがって）この動議を日程に追加し、追加日程第○として、（日程の順序を変更し、直ちに）議題とすることに決定しました。
○○○○の動議を議題として、採決します。
この採決は、起立によって行います。

この動議のとおり決定することに賛成の方は、起立願います。


（賛成者起立）

○議長　起立［多数／少数］です。
（したがって）○○委員会で、審査（調査）中の［議案第○号／○○○○の件］について、○月○日までに審査（調査）を終了するよう期限を付けることの動議は、可決されました。／否決されました。

（注）「（日程の順序を変更し、直ちに）」とあるのは、日程の最初又は中途で議題とする場合に用いる。

二　審査又は調査期限の延期（標規四六２）

○議長　日程第○、「○○委員会に付託中の議案第○号／○○○○の件についいて、審査（調査）期限の延期の件」を議題とします。

○○委員会に付託中の議案第○号／○○○○の件については、○月○日までに審査（調査）を終了するよう期限を付けましたが、同委員会から会議規則第四十六条第二項の規定によって、○月○日まで期限を延期されたいとの要求がありました。

お諮りします。

委員会の要求のとおり、期限を延期することにご異議ありませんか。

（異議がないとき）

○議長　「異議なし」と認めます。

（異議があるとき）

○議長　異議がありますので、起立によって

（したがって）議案第○号／○○○○の件の審査（調査）期限を、委員会の要求のとおり○月○日まで延期することに決定しました。

採決します。議案第○号／○○○○の件の審査（調査）期限を○月○日まで延期することに賛成の方は、起立願います。

（賛成者起立）

○**議長**　起立多数／少数です。（したがって）議案第○号／○○○○の件の審査（調査）期限を委員会の要求のとおり、○月○日まで延期することは、可決されました。／否決されました。

三　期限が満了し、会議で審議する場合（標規四六3）

(1) 議長発議による場合

○議長　お諮りします。

○○委員会に付託中の議案第○号／○○○○の件については、○月○日までに審査（調査）を終わるよう期限を付けたのですが、期限が満了しても、なお審査（調査）が終了しないので、会議規則第四十六条第三項の規定によって、本案／本件を日程に追加し、追加日程第○として、（日程の順序を変更し、直ちに）会議で審議したいと思います。

ご異議ありませんか。

（異議がないとき）

○議長　「異議なし」と認めます。

（したがって）議案第○号／○○○○の件を日程に追加し、追加日程第○として、（日程の順序を変更し、直ちに）会議で審議することに決定しました。

（異議があるとき）

○議長　異議がありますので、起立によって採決します。

本案／本件を日程に追加し、追加日程第○として、（日程の順序を変更し、直ちに）議題とすることに賛成の方は、起立願います。

追加日程第○、議案第○号　○○○○／○○○○の件を議題とします。

(2) 動議による場合

○議員　『動議を提出します。

（賛成者起立）

○議長　起立多数／少数です。

（したがって）議案第○号　○○○○／○○○○の件を日程に追加し、追加日程第○として、（日程の順序を変更し、直ちに）議題とすることは、可決されました。／否決されました。

（可決された場合）

追加日程第○、議案第○号○○○○／○○○○の件を議題とします。

（否決された場合）

議案第○号○○○○／○○○○の件は委員会において引き続き審査願います。

○○委員会に付託中の［議案第○号／○○○○の件］については、○月○日までに審査（調査）を終わるよう期限を付けたのですが、期限が満了してもなお審査（調査）が終了していません。（したがって）［本案／本件］は、会議規則第四十六条第三項の規定によって、日程に追加して、（日程の順序を変更し、直ちに）会議において審議することを望みます』

○議長　ただいま、○○○○君から、○○委員会に付託中の［議案第○号／○○○○の件］については、審査（調査）期限が満了しても、なお審査（調査）が終了しないので、［本案／本件］を、日程に追加して、（日程の順序を変更し、直ちに）会議において審議することの動議が提出されました。

この動議は、（○人以上の）賛成者がありますので、成立しました。

○○○○君の動議を議題として、採決します。

この採決は、起立によって行います。

この動議のとおり決定することに賛成の方は、起立願います。

（賛成者起立）

○議長　起立［多数／少数］です。

（したがって）○○委員会に付託中の｛議案第○号／○○○○の件｝を、日程に追加して、（日程の順序を変更し、直ちに）会議で審議することの動議は、｛可決されました。／否決されました。｝

（可決された場合）

○議長　追加日程第○、｛議案第○号　○○○○／○○○○の件｝を議題とします。

（**注**）
1　質疑の申し出がある場合は、質疑を行うことができる。
2　「（日程の順序を変更し、直ちに）」とあるのは、日程の最初又は中途で議題とする場合に用いる。

20　委員会の中間報告（標規四七）

一　中間報告を求める場合（標規四七1）

(1)　日程にある場合

○議長　日程第○、○○委員会に付託中の議案第○号／○○○○の件について、委員会の中間報告を求める件」を議題とします。

お諮りします。

○○委員会の中間報告を求めたいと思います。

ご異議ありませんか。

（異議がないとき）

○議長　「異議なし」と認めます。

（したがって）○○委員会に付託中の議案第○号／○○○○の件について、委員会の中間報告を求めることに決定しました。

○○委員長。

（○○委員長報告）

(2) 日程追加の場合

ア 議長発議による場合

○議長 お諮りします。

○○委員会に付託中の 議案第○号／○○○○の件 について、会議規則第四十七条第一項の規定によって、委員会の中間報告を求めることを日程に追加し、追加日程第○として、（日程の順序を変更し、直ちに）議題とすることにご異議ありませんか。

（異議がないとき）

○議長 「異議なし」と認めます。

（したがって）「議案第○号／○○○○の件 について委員会の中間報告を求める件」を日程に追加し、追加日程第○として、（日程の順序を変更し、直ちに）議題とすることに決定しました。

追加日程第○、「議案第○号／○○○○の件 について委員会の中間報告を求める件」を議題として、採決します。

この採決は、起立によって行います。

本案／本件について、委員会の中間報告を求めることに賛成の方は、起立願います。

（賛成者起立）

○議長　起立多数／少数です。

（したがって）議案第○号／○○○○の件について、委員会の中間報告を求めることは、可決されました。／否決されました。

（可決された場合）

○議長　議案第○号／○○○○の件について、○○委員会の中間報告を求めます。

○○委員長。

（○○委員長報告）

イ　動議による場合

○議員　『動議を提出します。

○○委員会に付託中の議案第○号／○○○○の件について（理由を簡単に述べる）、会議規則第四十七条第一項の規定によって、委員会の中間報告を求めることを望みます』

（賛　成）

○議長　ただいま、○○○○君から、○○委員会に付託中の（議案第○号／○○○○の件）について、委員会の中間報告を求めることの動議が提出されました。

この動議は、（○人以上の）賛成者がありますので、成立しました。

お諮りします。

この動議を日程に追加して、（日程の順序を変更し、直ちに）議題とすることにご異議ありませんか。

（異議がないとき）

○議長　「異議なし」と認めます。

（したがって）（議案第○号／○○○○の件）について、中間報告を求める動議を日程に追加して、（日程の順序を変更し、直ちに）議題とすることに決定しました。

追加日程第○、「○○委員会に付託中の（議案第○号／○○○○の件）について中間報告を求めることの動議」を議題として、採決します。

この採決は、起立によって行います。

この動議のとおり決定することに賛成の方は、起立願います。

（賛成者起立）

○議長　起立 多数／少数 です。
（したがって）○○委員会に付託中の 議案第○号／○○○○の件 について、委員会の中間報告を求めることの動議は、可決されました。／否決されました。

（可決された場合）

○議長　議案第○号／○○○○の件 について、○○委員会の中間報告を求めます。
○○委員長。

（○○委員長報告）

（注）「（日程の順序を変更し、直ちに）」とあるのは、日程の最初又は中途で議題とする場合に用いる。

二　委員会から申し出がある場合（標規四七2）

⑴　日程にある場合

○議長　日程第○、「○○委員会に付託中の 議案第○号／○○○○の件 について委員会の中間報告の件」を議題とします。

○○委員会から、議案第○号／○○○○の件について、中間報告をしたいとの申し出があります。
お諮りします。
本件は、申し出のとおり報告を受けることにしたいと思います。
ご異議ありませんか。

（異議がないとき）

○議長 「異議なし」と認めます。

（したがって）○○委員会の中間報告を受けることに決定しました。

○○委員長の発言を許します。

○○委員長。

（○○委員長報告）

(2) 日程追加の場合

○議長 ○○委員会から、会議規則第四十七条第二項の規定によって、同委員会に付託中の議案第○号／○○○○の件について、中間報告をしたいとの申し出があります。

お諮りします。

これを日程に追加し、追加日程第○として、（日程の順序を変更し、直ちに）議題とし、報告を受けることにご異議ありませんか。

（異議がないとき）

○議長　「異議なし」と認めます。

（したがって）「議案第○号 ○○○○の件」について委員会の中間報告の件」を日程に追加し、追加日程第○として、（日程の順序を変更し、直ちに）議題とし、報告を受けることに決定しました。

○議長　追加日程第○、「議案第○号 ○○○○の件」について委員会の中間報告の件」を議題とします。

○○委員長の発言を許します。

○○委員長。

（○○委員長報告）

（注）「（日程の順序を変更し、直ちに）」とあるのは、日程の最初又は中途で議題とする場合に用いる。

21

再審査又は再調査のための付託（標規四八）

（注）動議によることを通例とする。

○議員　『動議を提出します。

ただいま、議題となっています議案第○号○○○○の件について（再付託の理由を述べる）、会議規則第四十八条の規定によって、○○委員会（○○人の委員で構成する○○特別委員会を設置し、これ）に再付託することを望みます』

（賛　成）

○議長　ただいま、○○○○君から、議案第○号○○○○の件については、○○委員会（○○人の委員で構成する○○特別委員会を設置し、これ）に再付託することの動議が提出されました。

この動議は、（○人以上の）賛成者がありますので、成立しました。

○○○○の動議を議題として、採決します。

この採決は、起立によって行います。

この動議のとおり決定することに賛成の方は、起立願います。

（賛成者起立）

○**議長**　起立（多数／少数）です。

（したがって）（議案第○号／○○○○の件）について、○○委員会（○○人の委員で構成する○○特別委員会を設置し、これ）に再付託することの動議は、（可決されました。／否決されました。）

（可決された場合）

○**議長**　（議案第○号／○○○○の件）は、○○委員会（○○人の委員で構成する○○特別委員会を設置し、これ）に再付託することに決定しました。

（**注**）　特別委員会を設置した後の委員の選任は（一二九頁）参照。

22 委員会の閉会中の継続審査又は調査（標規七五）

一　付託事件の継続審査又は調査

○議長　日程第○、「委員会の閉会中の継続審査（調査）の件」を議題とします。

各〇〇委員長から、目下、委員会において審査（調査）中の事件について、会議規則第七十五条の規定によって、お手元に配りました申出書のとおり、閉会中の継続審査（調査）の申し出があります。

お諮りします。

委員長から申し出のとおり、閉会中の継続審査（調査）とすることにご異議ありませんか。

（異議がないとき）

○議長　「異議なし」と認めます。

（したがって）委員長から申し出のとおり、閉会中の継続審査（調査）とすることに決定しました。

二　特定事件の継続調査（標規七五関連）

(1)　常任委員会の場合

○**議長**　日程第○、「常任委員会の閉会中の特定事件（所管事務）の調査の件」を議題とします。

各○○常任委員長から所管事務のうち、会議規則第七十五条の規定によって、お手元に配りました「特定事件（所管事務）の調査事項」について、閉会中の継続調査の申し出があります。

お諮りします。

委員長から申し出のとおり、閉会中の継続調査とすることにご異議ありませんか。

（異議がないとき）

○**議長**　「異議なし」と認めます。

（したがって）委員長から申し出のとおり、閉会中の継続調査とすることに決定しました。

⑵　**議会運営委員会の場合**

○議長　日程第○、「議会運営委員会の閉会中の所掌事務調査の件」を議題とします。

議会運営委員長から、会議規則第七十五条の規定によって、お手元に配りました「本会議の会期日程等議会の運営に関する事項」について、閉会中の継続調査の申し出がありま す。

お諮りします。

委員長から申し出のとおり、閉会中の継続調査とすることにご異議ありませんか。

（異議がないとき）

○議長　「異議なし」と認めます。

（したがって）委員長から申し出のとおり、閉会中の継続調査とすることに決定しました。

23　議事又は発言の継続（標規四九・五八）

一　延会の場合（標規四九・五八）

○議長　日程第○、｛議案第○号 ○○○○の件／○○○○｝を議題とし、昨日（○月○日）の議事を続けます。

○○○○君に発言の続きを許します。

○○○○君。

（○○○○君継続発言）

二　中止又は休憩の場合（標規四九・五八）

○議長　｛中止／休憩｝前に引き続き会議を開きます。

日程第○、｛議案第○号 ○○○○の件｝の議事を続けます。

○○○○君に発言の続きを許します。

○○○○君。

（○○○○君継続発言）

24 討　論（標規四四・五二）

一　討論がある場合（標規四四・五二）

（以下は、本会議のみにおいて審議する場合で、質疑終了後、修正案がなく直ちに討論を行うときの一例）

○議長　これから討論を行います。

○議長　まず、原案に反対者の発言を許します。

（原案に反対者の反対討論）

○議長　次に、原案に賛成者の発言を許します。

（原案に賛成者の賛成討論）

（注）討論の順序は、おおむね次の例による。

1　本会議のみで審議する場合

(1)　修正案がないとき………原案反対者・原案賛成者

(2)　修正案があるとき……原案賛成者・原案及び修正案反対者・原案賛成者・修正案賛成者

2　委員会付託の場合

(1)　委員長報告が原案可決のとき……原案反対者・原案賛成者
(2)　委員長報告が修正であるとき……原案賛成者・原案及び修正案反対者・原案賛成者・修正案賛成者
(3)　委員長報告が否決であるとき……原案賛成者・原案反対者
(4)　委員長報告後修正案のあるとき……原案賛成者・原案及び修正案反対者・原案賛成者・修正案賛成者
(5)　報告が可決で少数意見のあるとき…原案賛成者・少数意見賛成者（原案反対者）
(6)　報告が否決で少数意見のあるとき…原案反対者・少数意見賛成者（原案賛成者）

○議長　ほかに討論は、ありませんか。

（な　し）

○議長　これで討論を終わります。

二　討論がない場合（標規四四・五二）

○議長　これから討論を行います。

討論は、ありませんか。

（な　　し）

○議長　「討論なし」と認めます。

25　質疑又は討論の終了（標規五九）

一　議長宣告による場合（標規五九1）

○議長　これで質疑を終わります。

……………………………………

○議長　これで討論を終わります。

二　動議による場合（標規五九2）

(1)　質疑の終了

○議員　『動議を提出します。

ただいま、議題となっています［議案第○号／○○○○の件］については（理由を述べる）、会議規則第五十九条第二項の規定によって、質疑を終了することを望みます』

（賛　成）

○議長　ただいま、○○○○君から、質疑を終了することの動議が提出されました。

この動議は、（○人以上の）賛成者がありますので、成立しました。
質疑を終了する動議を議題として、採決します。
この採決は、起立によって行います。
この動議のとおり決定することに賛成の方は、起立願います。

（賛成者起立）

○議長　起立（多数／少数）です。
（したがって）質疑を終了することの動議は、（可決されました。／否決されました。）

（注）動議が可決された場合は質疑終了の宣告を行い、否決された場合は質疑を続ける。

（2）討論の終了

○議員『動議を提出します。
ただいま、議題となっています（議案第○号／○○○○の件）については（理由を述べる）、会議規則第五十九条第二項の規定によって、討論を終了することを望みます』

（賛　成）

○議長　ただいま、○○○○君から、討論を終了することの動議が提出されました。

この動議は、（○人以上の）賛成者がありますので、成立しました。

討論終了の動議を議題として、採決します。

この採決は、起立によって行います。

この動議のとおり決定することに賛成の方は、起立願います。

（賛成者起立）

○議長　起立 多数｜少数 です。

（したがって）討論を終了することの動議は、可決されました。｜否決されました。

（注）動議が可決された場合は討論終了の宣告を行い、否決された場合は討論を続ける。

26 発言内容の制限（標規五四）

○議長 ○○○○君に申し上げます。
ただいまの発言は、議題外にわたって／○○（質疑・質問・討論等）の範囲を超えていますので、注意します。

（議長の注意に従わない場合）

○議長 ○○○○君。
さきほど注意しましたが、発言が、なお議題外にわたって／○○（質疑・質問・討論等）の範囲を超えています。
（したがって）会議規則第五十四条第二項の規定によって、発言を禁止します。

27

質疑、質問が制限回数を超える場合（標規五五）

（〇〇〇〇君制限回数を超えて発言を要求）

(1) 許可の場合

〇議長　〇〇〇〇君の本件に関する質疑質問は、すでに三回になりましたが、会議規則第五十五条ただし書の規定によって、特に発言を許します。

(2) 不許可の場合

〇議長　〇〇〇〇君の本件に関する質疑質問は、すでに三回になりましたので、会議規則第五十五条の規定によって、発言は許しません。

28　発言時間の制限（標規五六）

一　発言時間の制限（標規五六1）

○議長　発言時間について申し上げます。
○○の都合によって、本日の質疑（質問、討論）についての各議員の発言は、会議規則第五十六条第一項の規定によって、それぞれ○分以内とします。

二　発言時間の制限に対する異議（標規五六2）

（議長の宣告に対し○人以上から異議があるとき）

○議長　ただいまの発言時間の制限に対し、○人以上から異議があります。
（したがって）起立によって採決します。
発言時間を○分以内とすることに賛成の方は、起立願います。

（賛成者起立）

○議長　起立｜多数／少数｜です。

（したがって）発言時間を○分以内とすることは、可決されました。／否決されました。

三　発言時間の制限を超過した場合

○議長　○○○○君に申し上げます。
発言時間の制限を超えていますので簡潔に願います。／注意します。

（議長の注意に従わない場合）

○議長　さきほど注意しましたが、なお、命令に従いませんので、発言の中止を命じます。

29

議事進行の発言の制止（標規五七2）

○議長　○○○○君に申し上げます。

発言が議事進行に関係ないと認めます。

（したがって）会議規則第五十七条第二項の規定によって、発言の中止を命じます。

30 質 問（標規六一・六二）

一 一般質問（標規六一）

○議長 日程第○、「一般質問」を行います。
順番に発言を許します。
○○○○君。
（○○○○君質問）
（答 弁）
（注） 質問の終了は、「25 質疑又は討論の終了」の項（一三九頁）の例による。

二 緊急質問（標規六二）

(1) 文書による場合

○議長 ○○○○の件について、○○○○君から緊急質問の申し出があります。
○○○○君の○○○○の緊急質問の件を議題として、採決します。

○**議長**　この採決は、起立によって行います。
　○○○○君の○○○○の緊急質問に同意の上、日程に追加し、追加日程第○として、（日程の順序を変更し、直ちに）発言を許すことに賛成の方は、起立願います。

（賛成者起立）

○**議長**　起立 多数/少数 です。
　（したがって）○○○○君の○○○○の緊急質問に同意の上、日程に追加し、追加日程第○として、（日程の順序を変更し、直ちに）発言を許すことは、可決されました。/否決されました。

（可決された場合）

○**議長**　○○○○君の発言を許します。
　○○○○君。

（○○○○君緊急質問）

(2)　口頭による場合

○**議員**　『○○○○の件について緊急質問をしたいので、同意を求めます』
○**議長**　ただいま、○○○○君から、○○○○の件について○○○○の緊急質問をしたいとして、同意を求められました。

（したがって）○○○○君の○○○○の緊急質問の件を議題として、採決します。

○議長　この採決は、起立によって行います。○○○○君の○○○○の緊急質問に同意の上、日程に追加し、追加日程第○として、（日程の順序を変更し、直ちに）発言を許すことに賛成の方は、起立願います。

（賛成者起立）

○議長　起立 多数｜少数 です。（したがって）○○○○君の○○○○の緊急質問に同意の上、日程に追加し、追加日程第○として、（日程の順序を変更し、直ちに）発言を許すことは、可決されました。｜否決されました。

（可決された場合）

○議長　○○○○君の発言を許します。

○○○○君。

（○○○○君緊急質問）

(3)　制　止

○議長　○○○○君に申し上げます。発言が緊急を要しないと認めます。

（したがって）会議規則第六十二条第二項の規定によって、発言の中止を命じます。

（注）「（日程の順序を変更し、直ちに）」とあるのは、日程の最初又は中途で議題とする場合に用いる。

31 発言の取消し（標規六四）

○議長　ただいま、○○○○君から、○月○日の会議における発言について、会議規則第六十四条の規定によって（理由を述べる）、
○○○○の部分
お手元に配りました発言取消申出書に記載した部分
を取り消したいとの申し出がありました。

お諮りします。

これを許可することにご異議ありませんか。

（異議がないとき）

○議長　「異議なし」と認めます。

（したがって）○○○○君からの発言取り消しの申し出を許可することに決定しました。

（異議があるとき）

○議長　異議がありますので、起立によって採決します。

○○○○君からの発言取り消しの申し出を許可することに賛成の方は、起立願います。

（賛成者起立）

○議長　起立｛多数／少数｝です。
（したがって）○○○○君からの発言取り消しの申し出を許可｛する／しない｝ことに決定しました。

32　表　決（標規七八・八一・八二・八三・八五・八七・八八、法一一六）

一　表決問題の宣告（標規七八）

(1)　通常の場合

○議長　これから議案第○号　○○○○の件を採決します。

(2)　一括採決の場合

○議長　これから議案第○号　○○○○の件及び○○○○の件から議案第○号　○○○○まで○件を一括して採決します。

二　起立表決（標規八一1）

(1)　本会議のみにおいて審議する場合

○議長　この採決は、起立によって行います。

○議長　議案第○号　○○○○の件は、原案のとおり決定することに賛成の方は、起立願います。

（賛成者起立）

○**議長**　起立 多数／少数 です。

（したがって）議案第○号　○○○○／○○○○の件 は、原案のとおり可決されました。／否決されました。

(2) 委員会付託の場合

ア　委員長報告可決の場合

○**議長**　本案／本件 に対する委員長の報告は、可決です。
議案第○号　○○○○／○○○○の件 は、委員長の報告のとおり決定することに賛成の方は、起立願います。

（賛成者起立）

○**議長**　起立 多数／少数 です。

（したがって）議案第○号　○○○○／○○○○の件 は、委員長の報告のとおり可決されました。／否決されました。

イ　委員長報告否決の場合

○**議長**　本案／本件 に対する委員長の報告は、否決です。
したがって、原案について採決します。

議案第○号　○○○○
○○○○の件　は、原案のとおり決定することに賛成の方は、起立願います。

（賛成者起立）

○議長　起立 多数
少数 です。

（したがって）議案第○号　○○○○
○○○○の件　は、原案のとおり可決されました。
否決されました。

ウ　委員長報告修正の場合

○議長　本案
本件 に対する委員長の報告は修正です。

まず、委員会の修正案について起立によって採決します。

委員会の修正案に賛成の方は、起立願います。

（賛成者起立）

○議長　起立多数です。

（したがって）委員会の修正案は、可決されました。

○議長　次に、ただいま修正議決した部分を除く原案について、起立によって採決します。

修正部分を除く部分を原案のとおり決定することに賛成の方は、起立願います。

（賛成者起立）

○**議長**　起立多数です。

（したがって）修正部分を除く部分は、原案のとおり可決されました。

（注）１　委員会の修正案が否決された場合は原案について採決する。

２　特別多数議決の場合は、「61　長の不信任議決」（二八六頁）の例による。

三　起立者の多少の認定が困難な場合（標規八一２）

○**議長**　ただいまの採決については、起立者の多少の認定が困難です。

（したがって）会議規則第八十一条第二項の規定によって、本案／本件については、記名／無記名投票で採決します。

四　議長の宣告に対し異議がある場合（標規八一２）

（議長の宣告に対し○人以上から異議があるとき）

○**議長**　ただいまの議長の宣告に対し○人以上から異議がありますので、会議規則第八十一条第二項の規定によって、記名／無記名投票で採決します。

（注）議長の宣告に対し異議が○人未満のときは、議長は「ただいまの議長の宣告に対し異議がありますが、○人以上に達しませんので、異議の申し立ては、成立しません。」と宣告する。

五　投票表決（標規八二・八三・八五）

(1) 議長宣告による場合

○議長　この採決は 記名／無記名 投票で行います。

(2) 議員の要求による場合

ア　記名又は無記名の要求がある場合

○議長　この採決については、○○○○君ほか○人から 記名／無記名 投票にされたいとの要求がありますので、 記名／無記名 投票で行います。

イ　同時に記名と無記名の要求がある場合

○議長　この採決については、○○○○君ほか○人から記名投票にされたいとの要求と、△△△△君ほか○人から無記名投票にされたいとの要求が同時にあります。

したがって、いずれの方法によるかを会議規則第八十二条第二項の規定によって、無記名投票で採決します。

○議長　（念のため申し上げます）

記名（無記名）投票に賛成する方は「賛成」と、反対する方は「反対」と記載願います。

（注）1　記名投票又は無記名投票のいずれを先に採決するかは、議長が決める。
2　例えば、先に記名投票について採決し、過半数の賛成を得られなかった場合は、さらに無記名投票について採決する。
3　㈲1、2によっても、記名又は無記名のいずれとも決定しない場合は、会議規則第八十二条第一項前段の規定によって、議長が、いずれの方法によるかを決めて採決する。
4　投票による表決において、賛否を表明しない投票及び賛否が明らかでない投票は、会議規則第八十四条の規定によって否とみなす。

六　記名投票及び無記名投票（標規八二・八三・八四・八五）

○議長　これから、議案第○号　○○○○の件　○○○○を採決します。
この採決は、記名／無記名投票で行います。
議場の出入口を閉めます。
（議場を閉める）

○議長　ただいまの出席議員数は、○○人です。

○議長　次に、立会人を指名します。
会議規則第三十二条二項の規定によって、立会人に○○○君及び△△△君を指名します。

○**議長**　投票用紙を配ります。

（念のため申し上げます）

本案／本件に賛成の方は、「賛成」と、反対の方は、「反対」と記載願います。／し、自己の氏名も併せて記載願います。（記名投票の場合）　なお、賛否を表明しない投票及び賛否が明らかでない投票は、否とみなします。

（投票用紙の配布）

○**議長**　投票用紙の配布漏れは、ありませんか。

（な　　し）

○**議長**　「配布漏れなし」と認めます。

○**議長**　投票箱を点検します。

（投票箱の点検）

○**議長**　「異状なし」と認めます。

○**議長**　ただいまから投票を行います。

事務局長（職員）が議席番号と氏名を呼び上げますので、順番に投票願います。

（点　　呼）

（○番　○○議員）

（注）議長が「一番議員から順番に投票願います」という方法もある。

（投　　票）

○議長　投票漏れは、ありませんか。

（な　　し）

○議長　「投票漏れなし」と認めます。

○議長　投票を終わります。

○議長　開票を行います。

○議長　○○○○君及び△△△△君。開票の立ち会いをお願いします。

（開　　票）

○議長　投票の結果を報告します。

投票総数　○○票

有効投票　○○票

無効投票　○○票　です。

有効投票のうち

賛　成　○○票

反　対　〇〇票

以上のとおり　賛成／反対　が多数です。

（したがって）　議案第〇号　〇〇〇〇は、原案のとおり可決されました。／〇〇〇〇の件は、否決されました。

〇議長　議場の出入口を開きます。

（議場を開く）

（注）　特別多数議決の場合は、「**61**　長の不信任議決」（二八六頁）の例による。

七　簡易表決（標規八七）

〇議長　これから、議案第〇号　〇〇〇〇／〇〇〇〇の件　を採決します。

お諮りします。

本案／本件　は、原案のとおり決定することにご異議ありませんか。

（異議がないとき）

〇議長　「異議なし」と認めます。

（したがって）　議案第〇号　〇〇〇〇／〇〇〇〇の件

（異議があるとき）

〇議長　異議がありますので、起立によって採決します。

は、原案のとおり可決されました。

（注）議長の宣告に対し、○人以上から異議があるときは、起立によって採決する。

八　表決の順序（標規八八）

(1) 議員提出修正案否決及び可決の場合

○議長　これから、議案第○号　○○○○／○○○○の件の採決を行います。

まず、本案／本件に対する○○○○君ほか○人から提出された修正案について、起立によって採決します。

本修正案に賛成の方は、起立願います。

（否決の場合）

（賛成者起立）

○議長　起立少数です。

（したがって）修正案は、否決されました。

（可決の場合）

（賛成者起立）

○議長　起立多数です。

（したがって）修正案は、可決されました。

〇**議長**　次に、原案について、起立によって採決します。

原案に賛成の方は、起立願います。

（賛成者起立）

〇**議長**　起立［多数／少数］です。

（したがって）［議案第〇号　〇〇〇〇／〇〇〇〇の件］は、［原案のとおり可決されました。／否決されました。］

〇**議長**　次に、ただいま修正議決した部分を除く原案について、起立によって採決します。

修正部分を除く部分を原案のとおり決定することに賛成の方は、起立願います。

（賛成者起立）

〇**議長**　起立多数です。

（したがって）修正部分を除く部分は、原案のとおり可決されました。

(2) 議員提出修正案否決、委員会報告修正の場合

〇**議長**　これから、［議案第〇号　〇〇〇〇／〇〇〇〇の件］の採決を行います。

まず、［本案／本件］に対する〇〇〇〇君ほか〇人から提出された修正案について、起立によって採決します。

この修正案に賛成の方は、起立願います。

（賛成者起立）

○議長　起立少数です。

（したがって）○○○○君ほか○人から提出された修正案は、否決されました。

○議長　次に、本案（本件）の委員長の報告は、修正です。

まず、委員会の修正案について、起立によって採決します。

委員会の修正案に賛成の方は、起立願います。

（賛成者起立）

○議長　起立多数です。

（したがって）委員会の修正案は、可決されました。

○議長　次に、ただいま修正議決した部分を除く原案について、起立によって採決します。

修正部分を除く部分を原案のとおり決定することに賛成の方は、起立願います。

（賛成者起立）

○議長　起立多数です。

（したがって）修正部分を除く部分は、原案のとおり可決されました。

(3)　**議員提出修正案と委員会修正案とが一部共通の場合**

○議長　これから、議案第○号（○○○○の件）　○○○○の採決を行います。

採決の順序について、あらかじめ申し上げます。

本案|本件 については、○○○○君ほか○人から提出された修正案のうち、○○○○の点は、委員会の修正案と共通です。

（したがって）初めに○○○○君ほか○人提出の修正案のうち、委員会の修正案と共通する部分を除く部分について採決します。

次に、両修正案の共通する部分について採決します。

次に、委員会の修正案の残りの部分について採決します。

最後に、修正部分を除く原案について採決します。

○議長　まず、○○○○君ほか○人から提出された修正案のうち、委員会の修正案と共通する部分を除く部分について、起立によって採決します。

○○○○君ほか○人から提出された修正案のうち、委員会の修正案と共通する部分を除く部分に賛成の方は、起立願います。

（賛成者起立）

○議長　起立少数です。

（したがって）○○○○君ほか○人から提出された修正案のうち、委員会の修正案と共通する部分を除く部分は、否決されました。

○議長　次に、○○○○君ほか○人から提出された修正案と委員会の修正案との共通部分について、起立によって採決します。

共通部分について賛成の方は、起立願います。

（賛成者起立）

○議長　起立多数です。

（したがって）○○○○君ほか○人から提出された修正案と委員会の修正案との共通部分は、可決されました。

○議長　次に、ただいま議決した部分を除く委員会の修正案の残りの部分について、起立によって採決します。

委員会の修正案の残りの部分に賛成の方は、起立願います。

（賛成者起立）

○議長　起立多数です。

（したがって）委員会の修正案の残りの部分は、可決されました。

○議長　次に、ただいままでに修正議決した部分を除く原案について、起立によって採決します。

修正部分を除く原案に賛成の方は、起立願います。

（賛成者起立）

○議長　起立多数です。

（したがって）修正部分を除く原案は、可決されました。

九　議長裁決（法一一六1）

○議長　以上のとおり投票の結果、賛成・反対が同数です。

（したがって）地方自治法第百十六条第一項の規定によって、議長が本案／本件に対して裁決します。

○議長　議案第○号　○○○○／○○○○の件については、議長は、否決／可決と裁決します。

33

議決事件の字句及び数字等の整理（標規四五）

○議長　お諮りします。

ただいま修正議決されました○○○○について、その条項、字句、数字その他の整理を要するものについては、その整理を議長に委任されたいと思います。

ご異議ありませんか。

（異議がないとき）

○議長　「異議なし」と認めます。

（したがって）条項、字句、数字その他の整理は、議長に委任することに決定しました。

34 請　願（標規九二）

一　請願の委員会付託（標規九二1）

(1) 常任委員会に付託の場合

議会運営

ア　請願文書表の場合

○議長　本日までに受理した請願は、お手元に配りました「請願文書表」のとおり、それぞれ所管の常任委員会に付託しましたので報告します。

議会運営

イ　請願書の写しの場合

○議長　本日までに受理した請願は、お手元に配りました「請願書の写し」のとおり、それぞれ所管の常任委員会に付託しましたので報告します。

議会運営

（注）1　請願を継続審査とする場合は、委員会からの申し出によるのが原則であるが、特に必要がある場合は、付託の報告と同時に、議長発議によって「閉会中の継続審査」とすることができる。

2　請願は閉会中でも受理できるが、議会が開会されない限り付託することはできない。

(2) 特別委員会に付託の場合

○議長　日程第○、「請願第○号　○○○○」を議題とします。

お諮りします。

この請願については、○人の委員で構成する「○○特別委員会」を設置し、これに付託して、審査することにしたいと思います。

ご異議ありませんか。

（異議がないとき）

○議長　「異議なし」と認めます。

（したがって）この請願は、○人の委員で構成する「○○特別委員会」を設置し、これに付託して、審査することに決定しました。

(注)　1　必要によって、すでに設置されている「特別委員会」に付託する場合もある。

2　(1)の(注)は、特別委員会についても、同様である。

3　動議による場合は、「46　特別委員会設置及び付託並びに選任」の項の二（二二七頁）参照。

二　請願の採決

(1)　委員会付託省略の場合

○議長　日程第○、「請願第○号　○○○○」を議題とします。
お諮りします。

「請願第○号」については、会議規則第九十二条第二項の規定によって、委員会の付託を省略したいと思います。

ご異議ありませんか。

（異議がないとき）
○議長　「異議なし」と認めます。
（したがって）「請願第○号」については、委員会の付託を省略することに決定しました。
（注）　必要に応じ、討論の前に紹介議員に対し質疑、又は執行機関に対し意見を求めることもできる。
○議長　これから討論を行います。（討論はありませんか。）
（な　　し）
○議長　「討論なし」と認めます。

○議長　これから「請願第○号　○○○○」を採決します。

この採決は、起立によって行います。

「請願第○号」を採択することに賛成の方は、起立願います。

（賛成者起立）

○議長　起立 多数／少数 です。

（したがって）「請願第○号　○○○○」は、採択／不採択と することに決定しました。

(2) 委員長報告が採択の場合

○議長　これから「請願第○号　○○○○」を採決します。

この採決は、起立によって行います。

この請願に対する委員長の報告は、採択です。

この請願は、委員長の報告のとおり決定することに賛成の方は、起立願います。

（賛成者起立）

○議長　起立 多数／少数 です。

（したがって）「請願第○号　○○○○」は、〔委員長の報告のとおり採択することに／不採択とすることに〕決定しました。

（3）委員長報告が不採択の場合

○議長　これから「請願第○号　○○○○」を採決します。

この採決は、起立によって行います。

この請願に対する委員長の報告は、不採択です。

「請願第○号　○○○○」を採択することに賛成の方は、起立願います。

（賛成者起立）

○議長　起立〔多数／少数〕です。

（したがって）「請願第○号　○○○○」は、〔採　択／不採択と〕することに決定しました。

（4）**請願を〔採　択／不採択〕とみなす場合**

○議長　次に、「請願第○号　○○○○」について申し上げます。

すでに同じ内容の請願が〔採　択／不採択〕とされておりますので、「請願第○号　○○○○」は、採択／不採択とされたものとみなします。

（注）請願に関連する議案が議決されている場合は、同様の扱いとすることもできる。

三　紹介議員の紹介の取消し（標規九〇）

○議長　日程第〇、「請願第〇号に対する紹介の取消しの件」を議題にします。

〇〇〇〇君から、請願第〇号　〇〇〇〇について、請願の紹介者となりましたが、〇〇

（理由）によって紹介を取り消したいとの申し出があります。

お諮りします。

本件は、申し出のとおり許可することにご異議ありませんか。

（異議がないとき）

○議長　「異議なし」と認めます。

（したがって）請願第〇号に対する〇〇〇〇君の紹介の取消しを許可することに決定しました。

（注）日程に追加する場合は、「11　事件の撤回又は訂正及び動議の撤回」の二の日程追加の場合（六七頁）の例による。

35 秘　密　会（標規一八・九六、法一一五 1 2）

一 議長発議による場合

○議長 本案／本件 については、秘密会で審議したいと思います。

秘密会とするには、地方自治法第百十五条の規定によって、出席議員の三分の二以上の者の賛成を必要とし、討論を用いないで決定することになっています。

出席議員数は○人であり、その三分の二は○人です。

秘密会で審議することについて採決します。

この採決は、起立によって行います。

秘密会とすることに賛成の方は、起立願います。

（賛成者起立）

○議長 ただいまの起立者は、三分の二 以上です。／に達しません。

（したがって） 本案／本件 について秘密会で審議することは、可決されました。／否決されました。

二 議員の動議による場合

○議長 ○○○○君ほか○人から、本案／本件について、秘密会で審議することの動議が提出されました。

この動議は、三人以上から発議されていますので、直ちに議題とします。

○議長 秘密会とするには、地方自治法第百十五条の規定によって、出席議員の三分の二以上の者の賛成を必要とし、討論を用いないで決定することになっています。

出席議員数は○人であり、その三分の二は○人です。

秘密会とすることの動議について採決します。

この採決は、起立によって行います。

この動議のとおり決定することに賛成の方は、起立願います。

（賛成者起立）

○議長 ただいまの起立者は、三分の二以上です。／に達しません。

（したがって）本案／本件について、秘密会で審議することの動議は、可決されました。／否決されました。

三　指定者以外の退場要求

○議長　議長が指定する説明員○○○○君、△△△△君及び××××君以外の説明員並びに傍聴人の退場を命じます。

（退　　場）

36 公聴会開催の決定（標規一一七、法一一五の二1）

(1) 議長発議による場合

○議長 お諮りします。

議案第○号 ○○○○に関して、お手元に配りましたとおり○月○日に本会議で公聴会を開催し、利害関係者（学識経験者）から意見を聴きたいと思います。

ご異議ありませんか。

（異議がないとき）

○議長 「異議なし」と認めます。

（したがって）議案第○号 ○○○○に関して公聴会を開催する件についてはお手元に配りましたとおり実施することに決定しました。

(2) 動議による場合

○議員 『動議を提出します。議案第○号 ○○○○に関しては、本会議で公聴会を開催し、利害関係者（学識経験者）から意見を聴くことを望みます』

○議長 ただいま、○○○○君から、公聴会を開催することを求める動議が提出されました。

この動議は、（○人以上の）賛成者がありますので、成立しました。
公聴会を開催することを求める動議を議題として、採決します。
この採決は、起立によって行います。
この動議のとおり決定することに賛成の方は、起立願います。

（賛成者起立）

○議長　起立 多数／少数 です。
（したがって）公聴会を開催することを求める動議は、可決されました。／否決されました。

議案第○号　○○○○に関しては公聴会を開催することに決定しました。

(3) 日程にある場合

○議長　日程第○、議案第○号　○○○○について公聴会を開催する件について議題とします。

（説明、質疑、討論があれば行う）

○議長　お諮りします。

議案第○号　○○○○に関しては、お手元に配りましたとおり○月○日に本会議で公聴会を開催し、利害関係者（学識経験者）から意見を聴きたいと思います。

ご異議ありませんか。

（異議がないとき）

○議長　「異議なし」と認めます。

（したがって）議案第○号　○○○○に関して公聴会を開催する件については、お手元に配りましたとおり実施することに決定しました。

（注）　詳細については、議会運営委員会であらかじめ協議・調整しておく。

37 公述人の決定（標規一一九、法一一五の二1）

○議長　議案第○号　○○○○に関して、公聴会を行う旨を公示したところ、○人から申し出があり、その内訳は、賛成意見○人、反対意見○人でした。

お諮りします。

公述人については、賛成意見の者○人、反対意見の者○人の合計○人としたいと思います。

ご異議ありませんか。

（異議がないとき）

○議長　「異議なし」と認めます。

（したがって、）公述人は賛成意見の者○人、反対意見の者○人の合計○人とすることに決定しました。

次に、公述人の決定を行います。

お諮りします。

公述人には

賛成意見として○○さん、○○さん……

反対意見として○○さん、○○さん……
を決定したいと思います。
ご異議ありませんか。
（異議がないとき）
○議長　「異議なし」と認めます。
（したがって、）公述人には、賛成意見の○○さん、○○さん……
反対意見の○○さん、○○さん……とすることに決定しました。

38 公聴会の運営（標規一二〇・一二一、法一一五の二1）

○議長　議案第○号　○○○○に関して公聴会を開きます。
　本日ご出席をいただきました公述人は、○○さん、○○さん……の○人です。

　この際、議会を代表して公述人の皆様に一言ごあいさつを申し上げます。

（議長のあいさつ）

　公述に入る前に、進行方法について申し上げますと、最初に、それぞれ○分程度意見を述べていただき、その後、議員から公述人に対し質疑を行うこととしております。

　なお、公述人に念のため申し上げますが、ご発言の際にはその都度議長の許可を得てご発言くださいますようお願いします。また、公述人は議員に対し質疑をすることができないことになっておりますので、あらかじめご了承願います。
○議長　発言は○○公述人、○○公述人……の順序で行います。
　それでは、最初に○○公述人にお願いします。

（公述人発言）
○議長　ありがとうございました。

次に、○○公述人にお願いします。

（公述人発言）

○議長 ありがとうございました。

○議長 以上で公述人の皆様のご意見の陳述は終わりました。

これより質疑に入ります。質疑を行う場合は、公述人を指名願います。

（質疑応答）

○議長 以上で公述人に対する質疑は終了しました。

（議長のあいさつ）

○議長 以上で公聴会を終了します。

（注） 公述人の発言順序及び発言時間は、議会運営委員会の協議を踏まえ議長が決定するが、発言順序は一般的には、討論の方法に準じて、最初に反対者を発言させ、次に賛成者と反対者を、なるべく交互に指名して発言させる。

39

参考人招致の決定（標規一二三、法一一五の二2）

(1) 議長発議による場合

○議長　お諮りします。

議案第○号　○○○○に関して、お手元に配りましたとおり○月○日に、○○さんを参考人としてご出席いただき、意見を聴きたいと思います。

ご異議ありませんか。

（異議がないとき）

○議長　「異議なし」と認めます。

（したがって）議案第○号　○○○○に関して、参考人を招致する件については、お手元に配りましたとおり実施することに決定しました。

(2) 動議による場合

○議員　『動議を提出します。

議案第○号　○○○○に関して、○○さんに参考人としてご出席いただきまして、意見を聴くことを望みます』

○議長　ただいま、○○○○君から、参考人招致を求める動議が提出されました。
この動議は、（○人以上の）賛成者がありますので、成立しました。
参考人招致を求める動議を議題として、採決します。
この採決は、起立によって行います。
この動議のとおり決定することに賛成の方は、起立願います。

（賛成者起立）

○議長　起立 多数／少数 です。
（したがって）参考人招致を求める動議は、可決されました。／否決されました。
議案第○号　○○○○に関しては参考人を招致することに決定しました。

（3）**日程にある場合**

○議長　日程第○、議案第○号　○○○○に関して参考人を招致する件を議題とします。

（説明、質疑、討論があれば行う）

○議長　お諮りします。
議案第○号　○○○○に関しては、お手元に配りましたとおり○月○日に、○○さんを参考人としてご出席いただき、意見を聴きたいと思います。
ご異議ありませんか。
（異議がないとき）
○議長　「異議なし」と認めます。
（したがって）議案第○号　○○○○に関して参考人を招致する件については、お手元に配りましたとおり実施することに決定しました。
（**注**）詳細については、議会運営委員会であらかじめ協議・調整しておく。

40

参考人からの意見聴取（標規一二三、法一一五の二2）

○議長　議案第○号　○○○○の件に関して、参考人として○○さんにご出席いただきまして、○○に対するご意見をお聞きしたいと思いますので、よろしくお願いします。

（議長のあいさつ）

ご意見を拝聴する前に、進行方法について申し上げますと、参考人から○分程度意見を述べていただき、その後、議員から参考人に対し質疑を行うこととしております。

なお、参考人に念のため申し上げますが、ご発言の際にはその都度議長の許可を得てご発言くださいますようお願いいたします。また、参考人は議員に対し質疑をすることができないことになっておりますので、あらかじめご了承願います。

それでは、○○参考人、よろしくお願いします。

（参考人発言）

○議長　ありがとうございました。

以上で参考人のご意見の陳述は終わりました。

これより質疑に入ります。

（質疑応答）

○議長　以上で参考人に対する質疑は終了しました。

（議長のあいさつ）

○議長　以上で参考人からの意見聴取を終了します。

（**注**）　参考人が複数の場合、発言順序は、議会運営委員会の協議を踏まえ議長が決定する。発言順序は一般的には、討論の方法に準じて、最初に反対者を発言させ、次に賛成者と反対者を、なるべく交互に指名して発言させる。また、複数か一人かにかかわらず、発言時間は、議会運営委員会の協議を踏まえ議長が決定する。

41 辞　職（標規九八２３・九九２、法一〇八・一二六）

一　議長及び副議長の辞職（標規九八２３、法一〇八）

○議長／副議長　副議長／議長○○○○君から、副議長／議長の辞職願が提出されています。

お諮りします。「副議長／議長辞職の件」を日程に追加し、追加日程第○として、（日程の順序を変更し、直ちに）議題とすることにご異議ありませんか。

（異議がないとき）

○議長／副議長　「異議なし」と認めます。

（したがって）「副議長／議長辞職の件」を日程に追加し、追加日程第○として、（日程の順序を変更し、直ちに）議題とすることに決定しました。

○議長／副議長　追加日程第○、「副議長／議長辞職の件」を議題とします。

地方自治法第百十七条の規定によって、○○○○君の退場を求めます。

（○○○○君退場）

○議長（副議長）　職員に辞職願を朗読させます。

（職員朗読）

○議長（副議長）　お諮りします。○○○○君の「副議長（議長）の辞職」を許可することにご異議ありませんか。

（異議がないとき）

○議長（副議長）　「異議なし」と認めます。

（したがって）○○○○君の「副議長（議長）の辞職」を許可することに決定しました。

〔参　考〕

○議長（副議長）　ただいま副議長（議長）が欠けました。

お諮りします。

「副議長（議長）の選挙」を日程に追加し、追加日程第○として、（日程の順序を変更し、直ちに）選挙を行いたいと思います。

ご異議ありませんか。

（異議がないとき）

○議長（副議長）　「異議なし」と認めます。

（したがって）「副議長（議長）の選挙」を日程に追加し、追加日程第○として、（日程の順序を変更し、直ちに）選挙を行うことに決定しました。

○議長（副議長）　追加日程第○、「副議長（議長）の選挙」を行います。

（以下、「13　選挙」の項（七六頁）の例による。）

（注）閉会中に副議長の辞職を許可した場合は、次の議会に報告し、日程に掲げて副議長の選挙を行う。

〔参　考〕

○議長　日程第○、「副議長の選挙」を行います。

（以下、「13　選挙」の項（七六頁）の例による。）

（注）「（日程の順序を変更し、直ちに）」とあるのは、日程の最初又は中途で選挙を行う場合に用いる。

二　議員の辞職（標規九九、法一二六）

○**議長**　○○○○君から、議員の辞職願が提出されています。

お諮りします。

「○○○○君の議員辞職の件」を日程に追加し、追加日程第○として、（日程の順序を変更し、直ちに）議題とすることにご異議ありませんか。

（異議がないとき）

○**議長**　「異議なし」と認めます。

（したがって）「○○○○君の議員辞職の件」を日程に追加し、追加日程第○として、（日程の順序を変更し、直ちに）議題とすることに決定しました。

○**議長**　追加日程第○、「○○○○君の議員辞職の件」を議題とします。

地方自治法第百十七条の規定によって、○○○○君の退場を求めます。

（○○○○君退場）

○**議長**　職員に辞職願を朗読させます。

（職　員　朗　読）

○議長　お諮りします。

「○○○○君の議員の辞職」を許可することにご異議ありませんか。

（異議がないとき）

○議長　「異議なし」と認めます。

（したがって）「○○○○君の議員の辞職」を許可することに決定しました。

（**注**）

1　議長が閉会中に辞職を許可した場合は、次の議会に報告する。

2　「（日程の順序を変更し、直ちに）」とあるのは、日程の最初又は中途で議題とする場合に用いる。

42　資格の決定（標規一〇〇・一〇一、法一二七）

一　資格決定の要求（標規一〇〇、法一二七）

○議長　日程第〇、「〇〇〇〇君の議員の資格決定の件」を議題とします。
地方自治法第百十七条の規定によって、〇〇〇〇君の退場を求めます。
（〇〇〇〇君退場）

○議長　△△△△君から、〇〇〇〇君に対する資格決定要求書が証拠書類とともに提出されています。
その写しは、お手元に配りましたとおりです。

○議長　△△△△君から、説明を求めます。
△△△△君。
（△△△△君説明）

○議長　これから質疑を行います。
（以下、「15　議案等の朗読、説明、質疑及び委員会付託」の項の**四**（一〇〇頁）の例による。）

○議長　○○○○君から、自己の資格について弁明したいとの申し出があります。
これを許します。
○○○○君の入場を許します。
（○○○○君入場）

○議長　○○○○君に資格についての弁明を許します。
○○○○君。
（○○○○君弁明）

○議長　○○○○君の退場を求めます。
（○○○○君退場）

二　資格決定の特別委員会付託（標規一〇一、標委六）

(1)　議長発議による場合

○議長　お諮りします。
「議員の資格決定」については、会議規則第百一条の規定によって、委員会の付託を省略することができないことになっています。

（したがって）本件については、○人の委員で構成する「資格審査特別委員会」を設置し、これに付託して、審査することにしたいと思います。

ご異議ありませんか。

（異議がないとき）

○議長　「異議なし」と認めます。

（したがって）本件については、○人の委員で構成する「資格審査特別委員会」を設置し、これに付託して、審査することに決定しました。

○議長　お諮りします。

ただいま設置されました「資格審査特別委員会」の委員の選任については、委員会条例第七条第四項の規定によって、お手元に配りました名簿のとおり指名したいと思います。

ご異議ありませんか。

（異議がないとき）

○議長　「異議なし」と認めます。

（したがって）「資格審査特別委員会」の委員は、お手元に配りました名簿のとおり選任することに決定しました。

(2) **動議による場合**

○議員　『動議を提出します。

「議員の資格決定」については、会議規則第百一条の規定によって、委員会の付託を省略することができないことになっています。

（したがって）本件については、○人の委員で構成する「資格審査特別委員会」を設置し、これに付託して、審査することを望みます』

（以下、「46　特別委員会設置及び付託並びに選任」の項（二二六頁）の例による。）

(3) **委員会条例の規定による自動設置の場合**（標委六）

○議長　本件は、委員会条例第六条の規定によって、○人の委員で構成する「資格審査特別委員会」が設置されましたので、これに付託することにしたいと思います。

ご異議ありませんか。

（異議がないとき）

○議長　「異議なし」と認めます。

（したがって）本件は、「資格審査特別委員会」に付託することに決定しました。

お諮りします。

「資格審査特別委員会」の委員の選任については、委員会条例第七条第四項の規定によって、お手元に配りました名簿のとおり指名したいと思います。

ご異議ありませんか。

（異議がないとき）
○議長　「異議なし」と認めます。
（したがって）「資格審査特別委員会」の委員は、お手元に配りました名簿のとおり選任することに決定しました。

三　資格決定の会議（標規一〇一）

○議長　日程第○、「○○○○君の議員の資格決定の件」を議題とします。
地方自治法第百十七条の規定によって、○○○○君の退場を求めます。

（○○○○君退場）
○議長　本件について委員長の報告を求めます。
資格審査特別委員長。

（資格審査特別委員長報告）

○議長 これから委員長の報告に対する質疑を行います。

（以下、「15 議案等の朗読、説明、質疑及び委員会付託」の項の四（一〇〇頁）の例による。）

（注） 議員から、自己の資格について弁明の申し出があったときは、一の「資格決定の要求」（一九五頁）の例による。

○議長 これから討論を行います。

（以下、「24 討論」の項（一三六頁）の例による。）

○議長 これから「〇〇〇〇君の議員の資格決定の件」を採決します。

この採決は、起立によって行います。

（委員長報告が資格を有するとするとき） | （委員長報告が資格を有しないとするとき）

（注） 下段の上は委員長報告どおり可決されることが予見される場合、下段の下は委員長報告どおり可決の見込みがない場合の異例な運用を示したものである。

○議長　本件に対する委員長の報告は、資格決定書案のとおり議員の資格を有しないとするものです。

議員の資格を有しないとする決定については、地方自治法第百二十七条第一項の規定によって、出席議員の三分の二以上の者の賛成を必要とします。

出席議員は○人であり、その三分の二は○人です。

○議長　本件は、委員長報告の決定書案のとおり決定することに賛成の方は、起立

○議長　本件に対する委員長の報告は、資格決定書案のとおり、議員の資格を有するとするものです。

○議長　本件は、委員長報告の決定書案のとおり決定することに賛成の方は、起立願います。

（起立多数の場合）

○議長　起立多数です。

（したがって）「○○○○君の議員の資格決定の件」は、委員長報告の決定書案のとおり、議員の

○議長　本件に対する委員長の報告は、資格決定書案のとおり、議員の資格を有するとするものですが、本件は、議員の資格を有しないとすることについて採決します。

議員の資格を有しないとする決定については、地方自治法第百二十七条第一項の規定によって、出席議員の三分の二以上の者の賛成を必要とします。

出席議員は○人であり、その三分の二は○人です。

願います。
（賛成者起立）
○議長　ただいまの起立者は、
三分の二　以上です。
　　　　　に達しません。
（したがって）「○○○○
君の議員の資格決定の件」
は、委員長報告の決定書案
については、議員の資格を
のとおり、議員の資格を有
有すると
しないと　決定しました。
（注）　議員の資格を有すると
決定した場合は、改めて
決定書案を作成し議決す
る必要がある。この場合、
決定書案の作成について

資格を有すると決定しま
した。

○議長　本件は、議員の資格
を有しないとすることに賛
成の方は、起立願います。
（起立三分の二以上の場
合）
○議長　ただいまの起立者
は、三分の二以上です。
（したがって）「○○○○
君の議員の資格決定の件」
は、議員の資格を有しない
と決定しました。
（注）　資格を有しないと決定
した場合は、上段の(注)の
例による。

は、議長に一任又は特別委員会を設置し、これに付託する等が考えられる。

43 懲　罰（標規一一〇・一一一・一一二・一一三・一一四・一一五・一一六、法一三三・一三五・一三七）

一 懲罰動議（標規一一〇、法一三五2）

(1) 日程追加の場合

○議長 ただいま、△△△△君ほか○人から、地方自治法第百三十五条第二項の規定によって、「○○○○君に対する懲罰の動議」が提出されました。

この動議を日程に追加し、追加日程第○として、（日程の順序を変更し、直ちに）議題とすることについて採決します。

この採決は、起立によって行います。

この動議を日程に追加し、追加日程第○として、（日程の順序を変更し、直ちに）議題とすることに賛成の方は、起立願います。

（賛成者起立）

○議長 起立｛多数／少数｝です。

（したがって）この動議を日程に追加し、追加日程第○として、（日程の順序を変更し、直ちに）議題とすることに決定しました。

（注） 起立者が少数で議題にすることが否決された場合は、改めて、後日、議事日程に記載して議題とする。

○議長　追加日程第○、「○○○○君に対する懲罰の動議」を議題とします。

地方自治法第百十七条の規定によって、○○○○君の退場を求めます。

（○○○○君退場）

○議長　提出者の説明を求めます。

△△△△君。

（△△△△君説明）

○議長　○○○○君から、本件について一身上の弁明をしたいとの申し出があります。

お諮りします。

これを許すことにご異議ありませんか。

（異議がないとき）

○議長　「異議なし」と認めます。

（異議があるとき）

○議長　異議がありますので、起立によって

（したがって）○○○○君の一身上の弁明を許すことに決定しました。

○○○○君の入場を許します。

（○○○○君入場）

○議長　○○○○君に一身上の弁明を許します。

○○○○君。

（○○○○君弁明）

○議長　○○○○君の退場を求めます。

（○○○○君退場）

○議長　これから質疑を行います。

採決します。

この申し出に賛成の方は、起立願います。

（賛成者起立）

○議長　起立多数／少数です。

（したがって）○○○○君の一身上の弁明の申し出に同意することは、可決されました／否決されました。

（注）　許可することに決定した場合は、上段の例による。

（以下、「**15**　議案等の朗読、説明、質疑及び委員会付託」の項の**四**（一〇〇頁）の例による。）

(2)　日程にある場合

○議長　日程第○、「○○○○君に対する懲罰の件」を議題とします。

地方自治法第百十七条の規定によって、○○○○君の退場を求めます。

（○○○○君退場）

（以下、前項「⑴　日程追加の場合」の項（二〇四頁）の例による。）

（注）「（日程の順序を変更し、直ちに）」とあるのは、日程の最初又は中途で議題とする場合に用いる。

二　懲罰動議の特別委員会付託（標規一一一、標委六）

⑴　議長発議による場合

○**議長**　お諮りします。

「懲罰の議決」については、会議規則第百十一条の規定によって、委員会の付託を省略することができないことになっています。

（したがって）本件については、○人の委員で構成する「懲罰特別委員会」を設置し、これに付託して、審査することにしたいと思います。

ご異議ありませんか。

（異議がないとき）

○議長　「異議なし」と認めます。

（したがって）本件については、○人の委員で構成する「懲罰特別委員会」を設置し、これに付託して、審査することに決定しました。

○議長　お諮りします。

ただいま設置されました「懲罰特別委員会」の委員の選任については、委員会条例第七条第四項の規定によって、お手元に配りました名簿のとおり指名したいと思います。

ご異議ありませんか。

（異議がないとき）

○議長　「異議なし」と認めます。

（したがって）「懲罰特別委員会」の委員は、お手元に配りました名簿のとおり選任することに決定しました。

(2)　**動議による場合**

○議員　『動議を提出します。

「懲罰の議決」については、会議規則第百十一条の規定によって、委員会の付託を省略することができないことになっています。

（したがって）本件については、○人の委員で構成する「懲罰特別委員会」を設置し、これに付託して、審査することを望みます』

（以下、「46　特別委員会設置及び付託並びに選任」の項（二二六頁）の例による。）

(3)　**委員会条例の規定による自動設置の場合**（標委六）

○議長　本件は、委員会条例第六条の規定によって、○人の委員で構成する「懲罰特別委員会」が設置されましたので、これに付託することにしたいと思います。

ご異議ありませんか。

（異議がないとき）

○議長　「異議なし」と認めます。

（したがって）本件は、「懲罰特別委員会」に付託することに決定しました。

お諮りします。

「懲罰特別委員会」の委員の選任については、委員会条例第七条第四項の規定によって、お手元に配りました名簿のとおり指名したいと思います。

ご異議ありませんか。

（異議がないとき）

○**議長**　「異議なし」と認めます。

（したがって）「懲罰特別委員会」の委員は、お手元に配りました名簿のとおり選任することに決定しました。

三　代理弁明の同意（標規一一二）

○**議長**　○○○○君から一身上の件について、△△△△君に代理弁明させたいとの申し出があります。

お諮りします。

この申し出に同意することにご異議ありませんか。

（異議がないとき）

○**議長**　「異議なし」と認めます。

（したがって）○○○○君の申し出に同意することに決定しました。

△△△△君の代理弁明を許します。

△△△△君。

（△△△△君代理弁明）

四　懲罰事犯の会議（標規一一一）

○議長　日程第○、「○○○○君に対する懲罰の件」を議題とします。

地方自治法第百十七条の規定によって、○○○○君の退場を求めます。

（○○○○君退場）

○議長　本件について委員長の報告を求めます。

懲罰特別委員長。

（懲罰特別委員長報告）

（以下、懲罰事犯者の一身上の弁明、質疑については、本項の「一　懲罰動議」（二〇四頁）の例による。）

○議長　これから討論を行います。

（以下、「24　討論」の項（一三六頁）の例による。）

○議長　これから「○○○○君に対する懲罰の件」を採決します。

この採決は、起立によって行います。

⑴　戒告又は陳謝の表決

○議長　本件に対する委員長の報告は、（委員会起草による 戒告文／陳謝文 により）○○○○君に 戒告／陳謝 の懲罰を科すことです。
本件は、委員長の報告のとおり決定することに賛成の方は、起立願います。

（起立多数の場合）

○議長　起立多数です。
（したがって）○○○○君に 戒告／陳謝 の懲罰を科すことは、可決されました。

○議長　○○○○君の入場を求めます。

（○○○○君入場）

○議長　ただいまの議決に基づいて、これから○○○○君に懲罰の宣告を行います。

（戒告の場合）

○議長　○○○○君に戒告の懲罰を科します。

（陳謝の場合）

○議長　○○○○君に陳謝の懲罰を科します。

（起立少数の場合）

○議長　起立少数です。
（したがって）○○○○君に 戒告／陳謝 の懲罰を科すことは、否決されました。

これから戒告文を朗読します。
○○○○君の起立を命じます。
（○○○○君起立）
（議長起立、戒告文朗読）

これから○○○○君に陳謝をさせます。
○○○○君に陳謝文の朗読を命じます。
（○○○○君登壇、陳謝文朗読）

---

(2) 出席停止の表決

○議長　本件に対する委員長の報告は、○○○○君に○日間出席停止の懲罰を科すことです。
本件は、委員長の報告のとおり決定することに賛成の方は、起立願います。
（賛成者起立）

○議長　起立［多数｜少数］です。
（したがって）○○○○君に、○日間出席停止の懲罰を科すことは、［可決されました。｜否決されました。］

（出席停止に決定の場合）

○議長　○○○○君の入場を求めます。

（○○○○君入場）

○議長　ただいまの議決に基づいて、これから○○○○君に対し懲罰の宣告を行います。

○○○○君の起立を求めます。

（○○○○君起立）

○議長　○○○○君に○日間出席停止の懲罰を科します。

○○○○君の退場を求めます。

（○○○○君退場）

(3) 除名の表決

○議長　本件に対する委員長の報告は、○○○○君に除名の懲罰を科すことです。

議員の除名の表決については、地方自治法第百三十五条第三項の規定によって、議員の三分の二以上の者が出席し、その四分の三以上の者の同意を必要とします。

出席議員は○人であり、議員の三分の二以上です。

また、出席議員の四分の三は○人です。

○議長　本件は、委員長の報告のとおり決定することに賛成の方は、起立願います。

（賛成者起立）

○議長　ただいまの起立者は、四分の三以上です。／に達しません。

（したがって）○○○○君に除名の懲罰を科すことは、可決されました。／否決されました。

（除名に決定の場合）

○議長　○○○○君の入場を求めます。

（○○○○君入場）

○議長　ただいまの議決に基づいて、これから○○○○君に対し懲罰の宣告を行います。

○○○○君の起立を命じます。

（○○○○君起立）

○議長　○○○○君に除名の懲罰を科します。

○○○○君の退場を命じます。

（○○○○君退場）

（**注**）　本人が入場しない場合でも、除名の懲罰を科す宣告をする。

(4) 委員長報告による特定の懲罰が否決され、他の種の懲罰を科す場合

○議員　『動議を提出します。
ただいま懲罰特別委員会の報告による○○○○君に対し○○の懲罰を科すことは、否決されましたので、○○○○君に対し直ちに△△の懲罰を科すことを望みます』

（賛　成）

○議長　ただいま、△△△△君から、○○○○君に対し△△の懲罰を科すことの動議が提出されました。
この動議は、○人以上の賛成者がありますので、成立しました。
△△の懲罰を科すことの動議を直ちに議題として、採決します。
この採決は、起立によって行います。
この動議のとおり決定することに賛成の方は、起立願います。

（賛成者起立）

○議長　起立｛多数／少数｝です。
（したがって）○○○○君に△△の懲罰を科すことの動議は、｛可決されました。／否決されました。｝

(注) 可決された場合は、本項四(1)、(2)の可決の場合の例による。

〔備　考〕

懲罰の議決にあたり、特定の懲罰が否決された場合は、他の懲罰を科す場合の動議の取扱いは、次のとおりである。

一　懲罰の動議が単に某議員に対し懲罰を科すこととするものであった場合には、その懲罰の内容が否決されたにとどまり、まだ先に提出された懲罰の動議そのものが否決されたものではないと解されるので、改めて他の懲罰を科すこととする動議は、法第百三十五条第二項の懲罰の動議ではない。

二　懲罰の動議が某議員に対し特定の懲罰を科すこととするものであった場合には、さらに他の懲罰を科すこととする動議は、法第百三十五条第二項の懲罰の動議に該当する。

(5) 懲罰を科さない場合

○議長　本件に対する委員長の報告は、○○○○君に懲罰を科すべきではないとすることです。

本件は、委員長の報告のとおり決定することに賛成の方は、起立願います。

（起立多数の場合）

○議長　起立多数です。

（したがって）○○○○君に懲罰を科すべきでないと可決されました。

（注）　懲罰を科すべきものでないとする委員長報告が否決された場合は、改めて○○○○君に懲罰を科すかどうかを諮る必要がある。もし科すこととされた場合、どの種類の懲罰を科すかは、直ちに会議で決定してもよいし、特別委員会に再付託して決定してもよい。

五　欠席議員の懲罰（法一三七）

(1)　日程にある場合

○議長　日程第○、「○○○○君に対する懲罰の件」を議題とします。

○○○○君は、去る○月○日以来、正当な理由がなくて会議に欠席し、議長において特に招状を発しましたが、なお理由がなく出席しませんので、同君に地方自治法第百三十七条の規定によって懲罰を科したいと思います。

お諮りします。

「懲罰の議決」については、会議規則第百十一条の規定によって、委員会の付託を省略することができないこととされています。

（したがって）本件については、○人の委員で構成する「懲罰特別委員会」を設置し、これに付託して、審査することにしたいと思います。

ご異議ありませんか。

（異議がないとき）

○議長　「異議なし」と認めます。

（したがって）本件については、○人の委員で構成する「懲罰特別委員会」を設置し、これに付託して、審査することに決定しました。

（以下、本項の「二　懲罰動議の特別委員会付託」の項（二〇七頁）の例による。）

(2)　日程にない場合

○議長　お諮りします。

○○○○君は、去る○月○日以来、正当な理由がなくて会議に欠席し、議長において特に招状を発しましたが、なお理由がなく出席しません。

（したがって）同君に対する地方自治法第百三十七条の規定によって懲罰を科すため

「○○○○君に対する懲罰の件」を日程に追加し、追加日程第○として、（日程の順序を変更し、直ちに）議題とすることにしたいと思います。

ご異議ありませんか。

（異議がないとき）

○議長 「異議なし」と認めます。

（したがって）「○○○○君に対する懲罰の件」を日程に追加し、追加日程第○として、（日程の順序を変更し、直ちに）議題とすることに決定しました。

○議長 追加日程第○、「○○○○君に対する懲罰の件」を議題とします。

（以下、特別委員会への付託は、「⑴ 日程にある場合」（二一八頁）の例による。）

六 侮辱に対する処置（法一三三）

⑴ 日程にある場合

○議長 日程第○、「○○○○君に対する処分要求の件」を議題とします。

△△△△君から、地方自治法第百三十三条の規定によって、○○○○君に対する処分の

要求が提出されています。
地方自治法第百十七条の規定によって、○○○○君の退場を求めます。
（○○○○君退場）
○議長　△△△△君から説明を求めます。
△△△△君。
（△△△△君説明）
○議長　○○○○君から、本件について一身上の弁明をしたいとの申し出があります。
お諮りします。
（以下、本項「一　懲罰動議」の項（二〇四頁）の例による。）
○議長　これから質疑を行います。
（以下、15の「四　議案等に対する質疑」の項（一〇〇頁）の例による。）
○議長　お諮りします。
「懲罰の議決」については、会議規則第百十一条の規定によって、委員会の付託を省略することができないことになっています。

（したがって）本件については、○人の委員で構成する「懲罰特別委員会」を設置し、これに付託して、審査することにしたいと思います。

ご異議ありませんか。

（異議がないとき）
○議長　「異議なし」と認めます。
（したがって）「○○○○君に対する処分要求の件」については、○人の委員で構成する「懲罰特別委員会」を設置し、これに付託して、審査することに決定しました。

（以下、本項「二　懲罰動議の特別委員会付託」の項（二〇七頁）の例による。）
（注） 特別委員会への付託は、動議によることもあるが、その場合は、「46　特別委員会設置及び付託並びに選任」の「二　動議による場合」（二二七頁）の例による。

(2)　日程にない場合

○議長　ただいま、△△△△君から、地方自治法第百三十三条の規定によって、○○○○君に対する処分の要求が提出されました。
「○○○○君に対する処分要求の件」を日程に追加し、追加日程第○として、（日程の順序を変更し、直ちに）議題とすることについて採決します。

この採決は、起立によって行います。

「○○○○君に対する処分要求の件」を日程に追加し、追加日程第○として、（日程の順序を変更し、直ちに）議題とすることに賛成の方は、起立願います。

（賛成者起立）

○議長　起立 多数／少数 です。

（したがって）「○○○○君に対する処分要求の件」を日程に追加し、追加日程第○として、（日程の順序を変更し、直ちに）議題とすることは、可決されました。／否決されました。

（可決された場合）

○議長　追加日程第○、「○○○○君に対する処分要求の件」を議題とします。

（以下、特別委員会への付託は「(1)　日程にある場合」（二二〇頁）の例による。）

七　出席停止期間中出席したときの措置（標規一一五）

○議長　○○○○君に申し上げます。

○○○○君は、○月○日の会議において○日間出席を停止されています。

（したがって）会議規則第百十五条の規定によって、直ちに退去を命じます。

44

会議録署名議員の指名（標規一二七）

○議長　日程第○、「会議録署名議員の指名」を行います。

会議録署名議員は、会議規則第百二十七条の規定によって、○○○○君及び△△△△君を指名します。

（**注**）　会議録署名議員は、会期中を通じて議席順により議長が指名し、又は会議日ごとに議席順により議長が指名する。ただし、事故があるときは、次の議席による者を指名する。

45　新議員の紹介

〔参　考〕

○議長　○月○日に行われた○○町（村）議会議員補欠選挙において、当選されました○○○○君を御紹介します。

○○○○君。

（○○○○君あいさつ）

委員会条例関係

46　特別委員会設置及び付託並びに選任（標委五）

一　議長発議による場合

○議長　お諮りします。

本案(件)については、／○○○○について、　○人の委員で構成する「○○特別委員会」を設置し、これに付託して、審査／調査　することにしたいと思います。

ご異議ありませんか。

（異議がないとき）

○議長　「異議なし」と認めます。

（したがって）　本案(件)については、／○○○○について、　○人の委員で構成する「○○特別委員会」を設置し、これに付託して、審査｜調査することに決定しました。

二　動議による場合

○議員　『動議を提出します。

ただいま議題となっていますす議案第○号については、○人の委員で構成する「○○特別委員会」を設置し、これに付託して、審査することを望みます』

（賛　　成）

○議長　ただいま、○○○○君から、議案第○号については、○人の委員で構成する「○○特別委員会」を設置し、これに付託して、審査することの動議が提出されました。

この動議は、○人以上の賛成者がありますので、成立しました。

○○○○君の動議を議題として、採決します。

この採決は、起立によって行います。

この動議のとおり決定することに賛成の方は、起立願います。

（賛成者起立）

○議長　起立　多数｜少数　です。

（したがって）本案については、○人の委員で構成する「○○特別委員会」を設置し、これに付託して、審査することの動議は、可決されました。／否決されました。

（注）1　この動議が可決され、継続審査とする場合は、委員会からの申し出によるのが原則であるが、特に必要がある場合は、設置付託と同時に閉会中の継続審査とすることができる。
2　特別委員会の設置に引き続き特別委員を選任する場合は、日程事項としない。「46 特別委員会設置及び付託並びに選任」の**四**の例による。

三　日程にある場合

○議長　日程第○、「○○調査（対策）特別委員会設置に関する決議」を議題とします。

（説明、質疑、討論があれば行う）

○議長　○○○○君ほか○人から提出されました「○○調査（対策）特別委員会設置に関する決議」のとおり決定することにご異議ありませんか。

（異議がないとき）

○議長　「異議なし」と認めます。

（したがって）○○○○君ほか○人から提出の「○○調査（対策）特別委員会設置に関す

る決議」は、可決されました。

（注）「決議」でなく、「動議」で提出することもできる。

四　特別委員の選任（標委七4）

○議長　引き続いて、「特別委員の選任」を行います。

お諮りします。

特別委員の選任については、委員会条例第七条第四項の規定によって、お手元に配りました名簿のとおり指名したいと思います。

ご異議ありませんか。

（異議がないとき）

○議長　「異議なし」と認めます。

（したがって）特別委員は、お手元に配りました名簿のとおり選任することに決定しました。

（注）委員の選任については、他に職員の朗読又は議長が朗読する場合もある。

47 委員の選任、所属変更及び辞任（標委七46・一二）

一 常任委員の選任（標委七4）

○議長 日程第○、「常任委員の選任」を行います。

お諮りします。

常任委員の選任については、委員会条例第七条第四項の規定によって、お手元に配りました名簿のとおり指名したいと思います。

ご異議ありませんか。

（異議がないとき）

○議長 「異議なし」と認めます。

（したがって）常任委員は、お手元に配りました名簿のとおり選任することに決定しました。

（注） 委員の選任については、他に職員の朗読又は議長が朗読する場合もある。

二　議会運営委員の選任（標委七4）

○議長　日程第○、「議会運営委員の選任」を行います。

お諮りします。

議会運営委員の選任については、委員会条例第七条第四項の規定によって、お手元に配りました名簿のとおり指名したいと思います。

ご異議ありませんか。

（異議がないとき）

○議長　「異議なし」と認めます。

（したがって）議会運営委員は、お手元に配りました名簿のとおり選任することに決定しました。

（注）

委員の選任については、他に職員の朗読又は議長が朗読する場合もある。

三　常任委員の所属変更（標委七6）

(1)　双方の申し出による場合

○議長　日程第○、「常任委員の所属変更の件」を議題とします。

○○常任委員の○○○○君から△△常任委員に、△△常任委員の△△△△君から○○常任委員に、それぞれ常任委員会の所属を変更したいとの申し出がありますのでお諮りします。

○○○○君及び△△△△君から申し出のとおり、それぞれ常任委員会の所属を変更することにご異議ありませんか。

（異議がないとき）

○議長　「異議なし」と認めます。

（したがって）それぞれ常任委員会の所属を変更することに決定しました。

(2)　欠員による補充の場合

○議長　○○常任委員の○○○○君から△△常任委員に、常任委員会の所属を変更したいとの申し出があります。

お諮りします。

○○○○君から申し出のとおり、常任委員会の所属を変更することにご異議ありませんか。

（異議がないとき）

○議長　「異議なし」と認めます。

（したがって）○○○○君の常任委員会の所属を変更することに決定しました。

四　委員の辞任（標委一二2）

○議長　日程第○、「○○○○君の○○委員の辞任」を議題とします。

地方自治法第百十七条の規定によって、○○○○君の退場を求めます。

（○○○○君退場）

○議長　○月○日、○○○○君から○○の理由により○○委員を辞任したいとの申し出がありました。

お諮りします。

本件は、申し出のとおり辞任を許可することにご異議ありませんか。

（異議がないとき）

○議長　「異議なし」と認めます。

（したがって）「○○○○君の○○委員の辞任」を許可することに決定しました。

五　議長の常任委員の辞任（標委七4関連）

○副議長　日程第○、「議長の常任委員辞任の件」を議題とします。

○○議長から○○の理由によって、常任委員を辞任したいとの申し出があります。

お諮りします。

本件は、申し出のとおり辞任を許可することにご異議ありませんか。

（異議がないとき）

○副議長　「異議なし」と認めます。

（したがって）「○○議長の常任委員の辞任」を許可することに決定しました。

（注）1　議長は、除斥の対象となる。

2　議長の常任委員の辞任については、「一たん常任委員となった後議会の同意を得て辞退することは、特に必要がある場合はやむを得ない。」（昭三一、九、二八）という行政実例がある。

地方自治法その他の法令に基づくもの

48　条例制定又は改廃請求代表者の意見陳述（法七四4）

一　意見陳述の日時、場所等の決定

議長発議による場合

○議長　議案第○号　○○○○については、地方自治法第七十四条第四項の規定により請求代表者に意見を述べる機会を与えることになっています。

お諮りします。

請求代表者に意見を述べる機会を与える日時、場所については、○月○日○時○分から（場所）で行いたいと思います。

ご異議ありませんか。

（異議がないとき）

○議長　（したがって）請求代表者に意見を述べる機会を与える日時、場所については、○月○日○時○分から（場所）で行うことに決定しました。

（注）1　請求代表者が複数いる場合は、その数も議決する。
2　議決後、請求代表者へ通知するとともにこれらの事項を告示し、かつ公衆の見やすいその他の方法により公表する。
3　意見陳述を委員会で行うことも可能である。

二　意見陳述

○議長　請求代表者の意見陳述を行います。

（請求代表者入場・着席）

○議長　議案第○号　○○○○については、地方自治法第七十四条第四項の規定により請求代表者に意見を述べる機会を与えることになっています。

請求代表者は○○○○君であります。

それでは、○○○○について、意見を述べてください。

（請求代表者意見陳述）

以上で、請求代表者の意見陳述を終わります。

（請求代表者退席）

（注）

1　意見陳述の時間や具体的方法などは事前に議会運営委員会等で調整する。

2　請求代表者の意見に対して質疑がある場合は、意見を述べた範囲内で質疑を行うことも可能である。

49　事務検査（法九八1）

○議長　ただいま、○○君ほか○人（○○委員長）から、「○○の事務検査に関する決議」が提出されました。

「○○の事務検査に関する決議」を日程に追加し、追加日程第○として（日程の順序を変更し、直ちに）議題とすることについて採決します。

この採決は、起立によって行います。

この決議案を日程に追加し、追加日程第○として、（日程の順序を変更し、直ちに）議題とすることに賛成の方は、起立願います。

（賛成者起立）

○議長　起立 多数／少数 です。

（したがって）「○○の事務検査に関する決議」を日程に追加し、追加日程第○として、（日程の順序を変更し、直ちに）議題とすることは、可決されました。／否決されました。

（可決された場合）

○議長 追加日程第○、「○○の事務検査に関する決議」を議題とします。

提出者の説明を求めます。

○○君。

（○○君説明）

○議長 これから質疑を行います。

（以下、「15 議案等の朗読、説明、質疑及び委員会付託」の項の四（一〇〇頁）の例による。）

○議長 これから討論を行います。

（以下、「24 討論」の項（一三六頁）の例による。）

○議長 これから「○○の事務検査に関する決議」を採決します。

この採決は、起立によって行います。

この決議のとおり決定することに賛成の方は、起立願います。

（賛成者起立）

○議長 起立 多数／少数 です。

（したがって）「○○の事務検査に関する決議」は、可決されました。／否決されました。

（**注**）「（日程の順序を変更し、直ちに）」とあるのは、日程の最初又は中途で議題とする場合に用いる。

50

監査請求（法九八2）

○議長　ただいま、○○○○君ほか○人（○○委員長）から、「○○○○の監査請求に関する決議」が提出されました。

「○○○○の監査請求に関する決議」を日程に追加し、追加日程第○として、（日程の順序を変更し、直ちに）議題とすることについて採決します。

この採決は、起立によって行います。

この決議案を日程に追加し、追加日程第○として、（日程の順序を変更し、直ちに）議題とすることに賛成の方は、起立願います。

（賛成者起立）

○議長　起立｛多数／少数｝です。

（したがって）「○○○○の監査請求に関する決議」を日程に追加し、追加日程第○として、（日程の順序を変更し、直ちに）議題とすることは、｛可決されました。／否決されました。｝

（可決された場合）

○議長　追加日程第○、「○○○○の監査請求に関する決議」を議題とします。

提出者の説明を求めます。

○○○○君。

（○○○○君説明）

○議長　これから質疑を行います。

（以下、「**15**　議案等の朗読、説明、質疑及び委員会付託」の項の**四**（一○○頁）の例による。）

○議長　これから討論を行います。

（以下、「**24**　討論」の項（一三六頁）の例による。）

○議長　これから「○○○○の監査請求に関する決議」を採決します。

この採決は、起立によって行います。

この決議のとおり決定することに賛成の方は、起立願います。

（賛成者起立）

○議長　起立（多数｜少数）です。

（したがって）「○○○○の監査請求に関する決議」は、（可決されました。｜否決されました。）

(注) 「(日程の順序を変更し、直ちに)」とあるのは、日程の最初又は中途で議題とする場合に用いる。

51　調　査（法一〇〇、民事訴訟法一九〇ないし二〇六）

一　調査に関する決議

○議長　ただいま、○○○○君ほか○人（○○委員長）から、「○○○○の調査に関する決議」が提出されました。

「○○○○の調査に関する決議」を日程に追加し、追加日程第○として、（日程の順序を変更し、直ちに）議題とすることについて採決します。

この採決は、起立によって行います。

この決議案を日程に追加し、追加日程第○として、（日程の順序を変更し、直ちに）議題とすることに賛成の方は、起立願います。

（賛成者起立）

○議長　起立{多数｜少数}です。

（したがって）「○○○○の調査に関する決議」を日程に追加し、追加日程第○として、（日程の順序を変更し、直ちに）議題とすることは、{可決されました。｜否決されました。}

（可決された場合）

○議長　追加日程第○、「○○○○の調査に関する決議」を議題とします。

提出者の説明を求めます。

○○○○君。

（○○○○君説明）

○議長　これから質疑を行います。

（以下、「15　議案等の朗読、説明、質疑及び委員会付託」の項の**四**（一〇〇頁）の例による。）

○議長　これから討論を行います。

（以下、「24　討論」の項（一三六頁）の例による。）

○議長　これから「○○○○の調査に関する決議」を採決します。

この採決は、起立によって行います。

この決議のとおり決定することに賛成の方は、起立願います。

（賛成者起立）

○議長　起立（多数｜少数）です。

（したがって）「○○○○の調査に関する決議」は、可決されました。／否決されました。

（注）「（日程の順序を変更し、直ちに）」とあるのは、日程の最初又は中途で議題とする場合に用いる。

二　証人宣誓（法一〇〇2）

○○○委員長　証言を求める前に、証人に申し上げます。

証人の尋問については、地方自治法第百条に規定があり、また、これに基づいて民事訴訟法の証人尋問に関する規定が準用されることになっています。

これによって、証人は、原則として証言を拒むことはできませんが、次に申し上げる場合には、これを拒むことができることになっています。

すなわち、証言が証人又は証人の配偶者、四親等内の血族、三親等内の姻族の関係にあり、又はあった者、後見人と被後見人の関係を有する者が刑事訴追を受け、又は有罪判決を受けるおそれのある事項に関するとき、又はこれらの者の名誉を害すべき事項に関するとき、及び医師、歯科医師、薬剤師、医薬品販売業者、助産師、弁護士、弁理士、弁護人、公証人、宗教、祈祷若しくは祭祀の職にある者又はこれらの職にあった者が、その職務上知り得た事実で黙秘すべきものについて尋問を受けるとき、及び技術又は職業の秘密に関する事項について尋問を受けるとき。

以上の場合には、証人は、証言を拒むことができます。これらに該当するときは、その旨お申し出を願います。

それ以外には、証言を拒むことはできません。もし、これらの正当な理由がなくて証言を拒んだときは、六カ月以下の禁錮又は十万円以下の罰金に処せられることになっています。

さらに、証人に証言を求める場合には、宣誓をさせなければならないことになっています。

この宣誓についても、次の場合は、これを拒むことができることになっています。

すなわち、証人又は証人の配偶者、四親等内の血族、三親等内の姻族の関係にあり、又はあった者、後見人と被後見人の関係にある者に著しい利害関係がある事項について尋問を受けるときには、宣誓を拒むことができます。

それ以外には、宣誓を拒むことはできません。

なお、宣誓を行った証人が虚偽の陳述をしたときは、三カ月以上五年以下の禁錮に処せられることになっています。

一応、以上のことを御承知になっておいていただきたいと思います。

それでは、法律の定めるところによって、証人に宣誓を求めます。

御起立願います。

宣誓書を朗読願います。

（証人　○○○○君宣誓書を朗読）

宣　誓　書
良心に従って、真実を述べ、何事もかくさず、また何事もつけ加えないことを誓います。
○○○委員長　それでは宣誓書に署名押印を願います。
（証人　宣誓書に署名押印）
○○○委員長　これから証言を求めることになりますが、証言は、証言を求められた範囲を超えないこと、また、発言の際には、その都度、委員長の許可を得てされるようお願いします。
なお、こちらから質問しているときは、おかけになっていていてよろしいですが、お答えの際は、ご起立願います。

（注）「禁錮」については、令和四年六月の刑法等の一部改正により「懲役」とともに廃止し、「拘禁刑」に一元化される。法の施行は公布の日（令和四年六月一七日）から三年以内。

三　声明の要求（法一〇〇5）

○議長　日程第○、「証言／記録提出拒否についての声明要求の件」を議題とします。

○○委員会で調査中の「○○○○に関する調査」について、△△△△（公務員としての地位）××××君に対し証言／記録の提出を請求したところ、××××君は、職務上の秘密に属する旨の申し立てを行いました。

また、□□□□（関係官公署）は、○月○日この証言／記録の提出を行うことは承認できないとして、その理由を疎明しています。

しかしながら、□□□□（関係官公署）の疎明は、理由がないと認められますので、地方自治法第百条第五項の規定によって、この証言／記録の提出が公の利益を害するとの声明を要求することにしたいと思います。

ご異議ありませんか。

（異議がないとき）

○議長　「異議なし」と認めます。

（したがって）本議会は、□□□□（関係官公署）に対し、声明を要求することに決定しました。

四　委員会の調査終了後の取扱い

○議長　日程第○、「○○○○に関する調査の件」を議題とします。

本件について委員長の報告を求めます。

○○委員長。

（○○委員長報告）

○議長　これから委員長報告に対する質疑を行います。

（以下、「**15**　議案等の朗読、説明、質疑及び委員会付託」の項の**四**（一○○頁）の例による。）

○議長　これから「○○○○に関する調査の件」を採決します。

この採決は、起立によって行います。

本件は、お手元に配りました委員会報告書のとおり決定することに賛成の方は、起立願います。

（賛成者起立）

○議長　起立 多数／少数 です。

（したがって）「○○○○に関する調査の件」は、委員会報告書のとおり 決定しました。／決定することは、否決されました。

これで○○○○に関する調査を終わります。

（注）　委員会報告書については採決せず、調査終了だけを議決することもあり得る。また、委員会報告書のとおり決定した後、必要により決議案等を提出することも考えられる。

五　告　発（法一〇〇9）

⑴　出頭又は記録を提出しない場合の告発（法一〇〇3）

○議長　日程第○、「出頭（又は記録の提出）拒否に対する告発の件」を議題とします。

○○委員会で調査中の「○○○○に関する調査」について、選挙人／関係人 ○○○○君に対し出頭（又は記録の提出）を求めたところ、正当な理由（説明）がないのに出頭（又は記録の提出）を拒んだので、地方自治法第百条第九項の規定によって、同君を告発することにしたいと思います。

ご異議ありませんか。

（異議がないとき）

○議長　「異議なし」と認めます。

（したがって）本議会は、○○○○君を地方自治法第百条第九項の規定によって、告発することに決定しました。

(2)　虚偽の陳述に対する告発（法一〇〇7）

ア　委員会の報告を議決してから告発する場合

○議長　ただいま、委員長から、「○○○○の調査」において、選挙人｜関係人○○○○君の証言の中で、○○○○について虚偽の陳述があったとの報告があり、この報告のとおり議決されました。

（したがって）「虚偽の陳述に対する告発の件」を日程に追加し、追加日程第○として、（日程の順序を変更し、直ちに）議題とすることにご異議ありませんか。

（異議がないとき）

○議長　「異議なし」と認めます。

（したがって）「虚偽の陳述に対する告発の件」を日程に追加し、追加日程第○として、（日程の順序を変更し、直ちに）議題とすることに決定しました。

追加日程第○、「虚偽の陳述に対する告発の件」を議題とします。

お諮りします。

○○○○君の発言に、虚偽の陳述があると認められるので、地方自治法第百条第九項の規定によって、同君を告発することにしたいと思います。

ご異議ありませんか。

（異議がないとき）

○議長　「異議なし」と認めます。

（したがって）本議会は、○○○○君を地方自治法第百条第九項の規定によって、告発することに決定しました。

イ　委員会の報告を議決しないで告発する場合

○議長　ただいま、委員長から、「○○○○の調査」について、調査結果の報告がありました。

お諮りします。

これで「○○○○の調査」を終了したいと思います。

ご異議ありませんか。

（異議がないとき）

○議長　「異議なし」と認めます。

（したがって）○○委員会に付託しました「○○○○の調査」は、終了しました。

ただいま、委員長から、「○○○○の調査」において、選挙人/関係人○○○○君の証言の中で、○○○○について、虚偽の陳述があったと報告がありました。

「虚偽の陳述に対する告発の件」について、これを日程に追加し、追加日程第○として、（日程の順序を変更して、直ちに）議題としたいと思います。

ご異議ありませんか。

（異議がないとき）

○議長　「異議なし」と認めます。

（したがって）「虚偽の陳述に対する告発の件」を日程に追加し、追加日程第○として、(日程の順序を変更し、直ちに) 議題とすることに決定しました。

追加日程第○、「虚偽の陳述に対する告発の件」を議題とします。

お諮りします。

○○委員会で行った「○○○○の調査」において、選挙人|関係人 ○○○○君が、虚偽の陳述をしたと認められるので、地方自治法第百条第九項の規定によって、同君を告発することにしたいと思います。

ご異議ありませんか。

(異議がないとき)

○議長 「異議なし」と認めます。

(したがって) 本議会は、○○○○君を地方自治法第百条第九項の規定によって、告発することに決定しました。

(注) 1 議員の動議による場合もある。

2 「(日程の順序を変更し、直ちに)」とあるのは、日程の最初又は中途で議題とする場合に用いる。

52 議員派遣（法一〇〇13）

議長発議による場合

○議長　日程第〇、発議第〇号　議員の派遣について
議員派遣の件
を議題とします。

お諮りします。

議員派遣の件については、お手元に配りましたとおり派遣することにしたいと思います。

ご異議ありませんか。

（異議がないとき）

○議長　「異議なし」と認めます。

（したがって）発議第〇号　議員の派遣について
議員派遣の件
は、お手元に配りましたとおり派遣することに決定しました。

（**注**）　議案例は、様式33議員派遣（法一〇〇13、標規一二九）を参照。

53 専門的知見の活用（法一〇〇の二）

(1) 議長発議による場合

○議長 お諮りします。

議案第〇号について
〇〇〇〇に関して は、お手元に配りましたとおり調査を依頼したいと思います。

ご異議ありませんか。

（異議がないとき）

○議長 「異議なし」と認めます。

（したがって）〇〇〇〇に関する調査を依頼する件については、お手元に配りましたとおり依頼することに決定しました。

(2) 動議による場合

○議員 『動議を提出します。

議案第〇号について
〇〇〇〇に関して は、地方自治法第百条の二の規定によって、学識経験を有する者等に調査を依頼することを望みます』

(3)　日程にある場合

○**議長**　日程第○、○○○○に関する調査を依頼する件について議題とします。

（説明、質疑、討論があれば行う）

○**議長**　お諮りします。

議案第○号について／○○○○に関して　は、お手元に配りましたとおり調査を依頼したいと思います。

ご異議ありませんか。

（異議がないとき）

○**議長**　「異議なし」と認めます。

（したがって）○○○○に関する調査を依頼する件については、お手元に配りましたとおり依頼することに決定しました。

（注）　1　議案例は、様式34専門的知見の活用（法一〇〇の二）を参照。

2　調査の具体的執行を委員会で行う場合は、その旨を併せて議決しておく。

54　臨時会における緊急を要する事件の認定（法一〇二6）

一　議長発議による場合

○議長　ただいま、○○町（村）長／議員○○○○君外○人から、議案第○号　○○○○／○○○○の件が提出されました。

議案第○号／○○○○の件は緊急を要する事件と認め、日程に追加し、追加日程第○として、（日程の順序を変更し、直ちに）審議することにしたいと思います。

ご異議ありませんか。

（異議がないとき）

○議長　「異議なし」と認めます。

（したがって）議案第○号／○○○○の件は緊急を要する事件と認め、日程に追加し、追加日程第○として、（日程の順序を変更し、直ちに）審議することに決定しました。

（異議があるとき）

○議長　異議がありますので、起立によって採決します。

本案／本件は緊急を要する事件と認め、日程に追加し、追加日程第○として、（日程の順序を変更し、直ちに）審議することに賛

○議長　追加日程第○、「議案第○号 ○○○○の件」を議題とします。

成の方は、起立願います。

（賛成者起立）

○議長　起立 多数／少数 です。

（したがって）「議案第○号 ○○○○の件」は、緊急を要する事件と認め、日程に追加し、追加日程第○として、（日程の順序を変更し、直ちに）審議することは、可決されました／否決されました。

（可決された場合）

○議長　追加日程第○、「議案第○号 ○○○○の件」を議題とします。

（注）「（日程の順序を変更し、直ちに）」とあるのは、日程の最初又は中途で議題とする場合に用いる。

二　動議による場合

○議員『動議を提出します。

○○○○の件については、これを緊急を要する事件と認め、日程に追加して、（日程の順序を変更し、直ちに）審議することを望みます』

（賛　成）

○議長　ただいま、○○○○君から、○○○○の件を緊急を要する事件と認め、日程に追加して、（日程の順序を変更し、直ちに）審議することの動議が提出されました。

この動議は、○人以上の賛成者がありますので、成立しました。

○○○○の動議を議題として、採決します。

この採決は、起立によって行います。

この動議のとおり決定することに賛成の方は、起立願います。

（賛成者起立）

○議長　起立（多数｜少数）です。

（したがって）○○○○の動議は、（可決されました。｜否決されました。）

（可決された場合）

○議長　追加日程第○、「○○○○の件」を議題とします。

（注）「（日程の順序を変更し、直ちに）」とあるのは、日程の最初又は中途で議題とする場合に用いる。

55　仮議長の選任委任（法一〇六3）

○議長　日程第〇、「仮議長の選任を議長に委任する件」を議題とします。

お諮りします。

〇〇〇〇のため、地方自治法第百六条第三項の規定によって、この会期中における仮議長の選任を議長に委任願いたいと思います。

ご異議ありませんか。

（異議がないとき）

○議長　「異議なし」と認めます。

（したがって）この会期中における仮議長の選任を、議長に委任することに決定しました。

56　除　　斥（法一一七）

一　除斥の認定に疑いのない場合

○議長　地方自治法第百十七条の規定によって、○○○○君の退場を求めます。

（○○○○君退場）

二　除斥の認定に疑いのある場合

(1)　議長発議による場合

○議長　○○○○君の除斥について、採決します。

○議長　お諮りします。

本案については、○○○○君の一身上に関する事件
本件のうち○○○○の点については、に直接の利害関係のある事件　である

と認められますので、地方自治法第百十七条の規定によって、○○○○君を除斥したいと思います。

ご異議ありませんか。

（異議がないとき）

○議長　「異議なし」と認めます。

（したがって）○○○○君を除斥することに決定しました。

○○○○君の退場を求めます。

（○○○○君退場）

（異議があるとき）

○議長　異議がありますので、起立によって採決します。

○○○○君を除斥することに賛成の方は、起立願います。

（賛成者起立）

○議長　起立 多数／少数 です。

（したがって）○○○○君を除斥することは、可決されました。／否決されました。

○○○○君の退場を求めます。

（○○○○君退場）

(2)　動議による場合

○議員　『動議を提出します。

ただいま議題となっています 本案については、／本件のうち○○○○の点については、 ○○○○君 の一身／に直接

［上に関する事件／の利害関係のある事件］であると思われますので、地方自治法第百十七条の規定によって、○○○○君を除斥することを望みます』

○**議長**　ただいま、△△△△君から、［本案について、／本件のうち○○○○の点について、］○○○○君を除斥することの動議が提出されました。

この動議は、○人以上の賛成者がありますので、成立しました。

○○○○君を除斥することの動議を議題として、採決します。

この採決は、起立によって行います。

○○○○君を除斥することに賛成の方は、起立願います。

（賛成者起立）

○**議長**　起立［多数／少数］です。

（したがって）○○○○君を除斥することの動議は、［可決されました。／否決されました。］

○○○○君の退場を求めます。

（○○○○君退場）

三　除斥議員の出席発言（法一一七ただし書）

○議長　ただいま、除斥されています○○○○君から、地方自治法第百十七条ただし書の規定によって、会議に出席して発言したいとの申し出があります。
お諮りします。
この申し出に同意することにご異議ありませんか。
（異議がないとき）
○議長　「異議なし」と認めます。
（したがって）○○○○君の申し出に同意することに決定しました。
○○○○君の入場を許します。
（○○○○君入場）
○議長　○○○○君の発言を許します。
（○○○○君発言）
○議長　○○○○君の退場を求めます。
（○○○○君退場）

57　議場の秩序維持（標規一〇四・一〇五・一二六、法一二九・一三〇・一三一）

一　言動の制止（標規一〇四、法一二九1）

○議長　静粛に願います。
私語は禁止します。

……………

○議長　○○○○君に申し上げます。
発言中でありますので　静粛に願います。
私語は禁止します。

二　離席の禁止（標規一〇五）

○議長　離席しないように願います。
みだりに離席することを禁止します。

三　発言の取消し（法一二九1）

(1)　議長職権による場合

○議長　○○○○君。

ただいま／○○○○の発言は、不穏当と認めますので、発言の取消しを命じます。

(2) 議員の要求による場合

○議員　『ただいまの○○○○君の発言／発言中○○○○の点は、不穏当と認めます。（したがって）（記録を調査して）、議長において発言の取消しを命ぜられることを要求します』

○議長　ただいま、△△△△君から、○○○○君の発言／発言中○○○○の点は、不穏当と認められるから（記録を調査して）、議長において発言の取消しを命じられたいとの要求がありました。

議長においても不穏当と認めますので、発言の取消しを命じます。／後刻、記録を調査して、措置することにします。

四　発言の禁止（法一二九1）

○議長　○○○○君に申し上げます。

発言が議事進行に関係ないと認めますので注意します。

○議長　○○○○君。

先ほど注意しましたが、なお議長の命令に従わないので、地方自治法第百二十九条第一項の規定によって、本日の会議が終わるまで発言を禁止します。

五　退　　去（法一二九1）

○議長　○○○○君。

先ほど来、再三注意しましたが、なお議長の命令に従わないので、地方自治法第百二十九条第一項の規定によって、○○○○の審議／本日の会議が終わるまで議場の外に退去を命じます。

六　傍聴人の制止・退場命令（法一三〇1 2）

(1)　制　　止

○議長　傍聴人に申し上げます。

静粛に願います。

傍聴人は、議事について可否を表明し、又は騒ぎ立てることは禁止されておりますので、

静粛に願います。

なお、議長の命令に従わないときは、地方自治法第百三十条第一項の規定により、退場を命じますので、念のため申し上げておきます。

(2) 退　場

○議長　会議を妨害したそこの（指示する）傍聴人／傍聴人全員に申し上げます。

先ほど来、再三注意したにもかかわらず、なお議長の命令に従わないので、地方自治法第百三十条第一項／第二項の規定によって、そこの傍聴人／傍聴人全員の退場を命じます。

58　任命・選任同意

（法一六二・一九六1、地方教育行政の組織及び運営に関する法律四1 2、地方公務員法九の二2、地方税法四〇四2・四二三3、農業委員会等に関する法律八1）

○**議長**　日程第○、「同意第○号　○○○○（副町（村）長、監査委員、教育長、教育委員、公平委員、農業委員等）任命・選任について同意を求める件」を議題とします。

提出者の説明を求めます。

○○町（村）長。

（○○町（村）長の説明）

（質疑、討論があれば、これを許す）

○**議長**　これから日程第○、「同意第○号　○○○○（副町（村）長、監査委員、教育長、教育委員、公平委員、農業委員等）任命・選任について同意を求める件」を採決します。

この採決は、起立によって行います。

本件は、これに同意することに賛成の方は、起立願います。

（賛成者起立）

○**議長** 起立 多数/少数 です。

（したがって）「同意第○号 ○○○○ 任命/選任 について同意を求める件」は、同意 する/しない ことに決定しました。

（注） 同時に複数の委員等の同意を求める場合は、一人一件として提出されるのが通例であるが、二人以上の者を一件で提出された場合は、一人ずつ諮るのが原則である。

59 長の退職同意（法一四五ただし書）

○議長　お諮りします。

ただいま、お手元に配りました文書のとおり、町（村）長　○○○○君から○月○日をもって退職したい旨の申し出がありました。

本件を日程に追加し、追加日程第○として、（日程の順序を変更し、直ちに）議題とすることにご異議ありませんか。

（異議がないとき）

○議長　「異議なし」と認めます。

（したがって）「町（村）長　○○○○君の退職の件」を日程に追加し、追加日程第○として、（日程の順序を変更し、直ちに）議題とすることに決定しました。

追加日程第○、「町（村）長　○○○○君の退職の件」を議題とします。

○議長　まず、その申出書を朗読させます。

（職員朗読）

○議長　お諮りします。

本件は、これに同意することにご異議ありませんか。

（異議がないとき）

○議長 「異議なし」と認めます。

（したがって）町（村）長 ○○○○君の退職に同意することに決定しました。

（注） 1 町（村）長の職務代理をする副町（村）長（地方自治法第百六十五条ただし書）の場合は、退職承認として同じ方法による。

2 「（日程の順序を変更し、直ちに）」とあるのは、日程の最初又は中途で議題とする場合に用いる。

60 再議及び再選挙（法一七六・一七七）

一　特別多数議決を要する再議（法一七六123）

(1) 長提出議案を修正議決したところ、再議に付された場合

○議長　日程第○、「議案第○号　○○条例（予算）（再議の件）」を議題とします。

先に議決した「議案第○号　○○条例（予算）」は、町（村）長から地方自治法
○月○日

第百七十六条第一項の規定によって、再議に付されました。

町（村）長から再議に付した理由の説明を求めます。

○○町（村）長。

（○○町（村）長説明の後、質疑、討論があれば、これを許す）

○議長　これから「議案第○号　○○条例（予算）（再議の件）」を採決します。

この採決は、起立によって行います。

この場合、先の議決のとおり決定することについては、地方自治法第百七十六条第三項の規定によって、出席議員の三分の二以上の者の同意を必要とします。

出席議員は○人であり、その三分の二は○人です。

本件を、先の議決のとおり決定することに賛成の方は、起立願います。

（賛成者起立）

○議長 ただいまの起立者は、三分の二以上です。／に達しません。

（したがって）「議案第○号 ○○条例（予算）（再議の件）」は、先／○月○日の議決のとおり決定しました。／決定することは、否決されました。

（否決された場合）

○議長 「議案第○号 ○○条例（予算）（再議の件）」は、先／○月○日の議決のとおり決定することが否決されましたので、改めて修正前の原案を審議することにします。

(2) 議員（委員会）提出議案の再議

（(1)の場合と同様であるが、先の議決のとおり決定することが否決された場合は、次の宣告を加える。）

○議長 「発議第○号 ○○条例（再議の件）」は、先の議決のとおり決定することが否決されましたので、廃案となりました。

（注）　議員（委員会）提出の条例案について修正議決し知事が再議に付した場合、三分の二の同意が得られないときは、再議に付された条例案は、廃案となる。（昭三九、四、九行政実例）による。

二　過半数議決による再議（法一七六１２・一七七１）

(1) 条例・予算以外の一般再議（法一七六１２）

ア　長提出議案を修正議決したところ、長が再議に付した場合

○議長　日程第○、「議案第○号　○○○○（再議の件）」を議題とします。

先に議決した「議案第○号　○○○○」については地方自治法第百七十六条第一項の規定によって、町（村）長から再議に付されました。

町（村）長から再議に付した理由の説明を求めます。

○○町（村）長。

（○○町（村）長説明の後、質疑、討論があれば、これを許す）

○議長　これから「議案第○号　○○○○（再議の件）」を採決します。

この採決は、起立によって行います。

本件を、先の議決のとおり決定することに賛成の方は、起立願います。

（賛成者起立）

○議長　起立{多数／少数}です。

（したがって）「議案第○号　○○○○（再議の件）」は、先の議決のとおり{決定しました。／決定することは否決されました。}

（否決された場合）

○議長「議案第○号　○○○○（再議の件）」は、先の議決のとおり決定することが否決されましたので、改めて修正前の原案を審議することにします。

イ　議員（委員会）提出議案の再議

（**ア**の場合と同様であるが、先の議決のとおり決定することが否決された場合、次の宣告を加える。）

○議長「発議第○号　○○○○（再議の件）」は、先の議決のとおり決定することが否決されましたので、廃案となりました。

（**注**）議員（委員会）提出議案の再議については、「**一**　特別多数議決を要する再議」の(2)の(注)の行政実例参照。

(2) 義務経費及び非常の災害に因る経費の再議（法一七七1）

○議長　日程第○、「議案第○号　○○予算（再議の件）」を議題とします。

町（村）長から、先に［議決した／否決した］「議案第○号　○○予算」について、地方自治法第百七十七条第一項の規定によって、再議に付されました。

町（村）長から再議に付した理由の説明を求めます。

○○町（村）長。

（○○町（村）長説明の後、質疑、討論があれば、これを許す）

○議長　これから「議案第○号　○○予算（再議の件）」を採決します。

この採決は、起立によって行います。

［本件を、先の議決のとおり／本案は、原案のとおり］決定することに賛成の方は、起立願います。

（賛成者起立）

○議長　起立［多数／少数］です。

［「議案第○号　○○予算（再議の件）」は、先の議決のとおり［決定しました。／決定することは否決されました。］
「議案第○号　○○予算」は、［原案のとおり可決されました。／否決されました。］］

（「議案第○号　○○予算（再議の件）」について先の議決のとおり決定することが否決されたとき）

○議長　「議案第○号　○○予算（再議の件）」は、先の議決のとおり決定することが否決されましたので、改めて修正前の原案を審議することにします。

（注）1　義務費については、先の議決のとおり決定又は再度否決したときは、原案を執行することができる。

2　非常の災害に因る経費又は感染症予防のための経費については、先の議決のとおり決定又は再度否決したときは、長の不信任とみなすことができる。

三　権限を超え又は法令等に違反した再議又は再選挙（法一七六4）

(1)　再　　議（法一七六4）

○議長　日程第○、「議案第○号　○○（条例、予算等）（再議の件）」を議題とします。

町（村）長から、「議案第○号　○○（条例、予算等）（再議の件）」の議決について、権限を超えた／法令（会議規則）に違反した　と認め、地方自治法第百七十六条第四項の規定によって、再議に付されました。

町（村）長から再議に付した理由の説明を求めます。

○○町（村）長。

（○○町（村）長説明の後、質疑、討論があれば、これを許す）

○議長 これから「議案第○号 ○○（条例、予算等）（再議の件）」を採決します。

この採決は、起立によって行います。

本件を、先の議決のとおり／本案は、原案のとおり 決定することに賛成の方は、起立願います。

（賛成者起立）

○議長 起立 多数／少数 です。

「議案第○号 ○○（条例、予算等）（再議の件）」は、先の議決のとおり 決定しました。／決定することは否決されました。

「議案第○号 ○○（条例、予算等）」は、原案のとおり可決されました。／否決されました。

（「議案第○号　○○（条例、予算等）（再議の件）」について先の議決のとおり決定することが否決されたとき）

○議長　「議案第○号　○○（条例、予算等）（再議の件）」は、先の議決のとおり決定することが否決されましたので、改めて修正前の原案を審議することにします。

（注）
1　議決事項が権限を超え又は議決の内容が法令等に違反した場合の再議については、「先の議決のとおり決定する」ことについて採決する。
2　議決の手続き等が権限を超え又は法令等に違反した場合の再議については、改めて審議を行うということで、原案を議題として採決する。

(2) 再選挙（法一七六4）

○議長　ただいま、町（村）長から、先に行った「○○の選挙」について、○○○○の理由により、地方自治法第百七十六条第四項の規定によって、再選挙に付されました。

（したがって）「○○の選挙」を日程に追加し、追加日程第○とし、（日程の順序を変更して、直ちに）再選挙を行うことにご異議ありませんか。

（異議がないとき）

○議長　「異議なし」と認めます。

更して、直ちに）再選挙を行うことに決定しました。

（したがって）「○○の選挙」を日程に追加し、追加日程第○として、（日程の順序を変

追加日程第○、「○○の選挙」を行います。

（以下、「13　選挙」の項（七六頁）の例による。）

61 長の不信任議決（法一七八１３）

○議長　ただいま、○○○○君ほか○人／○○○○君から、「町（村）長△△△君不信任」の決議案が提出／動議が提出されました。

されました。この動議は、○人以上の賛成者がありますので、成立しました。

○議長　本決議案／本動議を日程に追加し、追加日程第○として、（日程の順序を変更し、直ちに）議題とすることについて採決します。

この採決は、起立によって行います。

本決議案／本動議を日程に追加し、追加日程第○として、（日程の順序を変更し、直ちに）議題とすることに賛成の方は、起立願います。

（賛成者起立）

○議長　起立　多数／少数です。

（したがって）「町（村）長△△△君不信任」の決議案／動　議を日程に追加し、追加日程第○

として、（日程の順序を変更し、直ちに）議題とすることは、可決されました。／否決されました。

（可決された場合）

○**議長**　追加日程第○、「町（村）長△△△△君不信任」の決議案／「町（村）長△△△△君不信任」の動議を議題とします。

提出者の説明を求めます。

○○○○君。

（○○○○君説明）

（質疑、討論があれば、これを許す）

○**議長**　これから「町（村）長△△△△君不信任」の決議案／「町（村）長△△△△君不信任」の動議を採決します。

この採決は、起立によって行います。

○**議長**　町（村）長不信任の議決については、地方自治法第百七十八条第三項の規定によって、議員数の三分の二以上の者が出席し、その四分の三以上の者の同意を必要とします。

出席議員は○人であり、議員数の三分の二以上です。また、その四分の三は○人です。

○**議長**　本決議案／本動議のとおり決定することに賛成の方は、起立願います。

（賛成者起立）

○**議長**　ただいまの起立者は、四分の三以上です。／に達しません。

（したがって）「町（村）長△△△君不信任」の決議｜動議は、可決されました。｜否決されました。

（注）
1　「町（村）長の不信任」が可決され、議会が解散された後の議会において、再度、不信任議決を行うときは過半数議決で足りる。
2　「（日程の順序を変更し、直ちに）」とあるのは、日程の最初又は中途で議題とする場合に用いる。

62

専決処分の承認（法一七九）

○**議長**　日程第○、「承認第○号　専決処分について承認を求める件」を議題とします。

（○○町（村）長説明の後、質疑、討論があれば、これを許す）

○**議長**　これから「承認第○号　専決処分について承認を求める件」を採決します。

この採決は、起立によって行います。

本件は、承認することに賛成の方は、起立願います。

（賛成者起立）

○**議長**　起立（多数／少数）です。

（したがって）「承認第○号　専決処分について承認を求める件」は、承認（する／しない）ことに決定しました。

（以下、条例・予算について否決された場合）

○**議長**　承認を求める議案が否決されましたので、町（村）長は、地方自治法第百七十九条に基づき、速やかに当該処置に関して必要と認める措置を講ずるとともに、その旨を議会に報告するよう求めます。

63 選挙管理委員の罷免（法一八四の二）

一　提出者の説明

○議長　日程第○、「選挙管理委員○○○○君の罷免に関する決議」を議題とします。

提出者の説明を求めます。

○○○○君

（○○○○君説明）

二　罷免に対する質疑

○議長　これから質疑を行います。

（以下、「**15**　議案等の朗読、説明、質疑及び委員会付託」の項の**四**（一○○頁）の例による。）

三　罷免の委員会付託（法一八四の二1）

⑴　**常任委員会付託**

ア　議長発議による場合

○議長　お諮りします。

「罷免の議決」については、地方自治法第百八十四条の二第一項の規定によって、委員会において公聴会を開くことになっています。

（したがって）本件については、○○常任委員会に付託して、審査することにしたいと思います。

ご異議ありませんか。

（以下、「**15**　議案等の朗読、説明、質疑及び委員会付託」の項の**五**（一〇一頁）の例による。）

イ　動議による場合

○議員　『動議を提出します。

「罷免の議決」については、地方自治法第百八十四条の二第一項の規定によって、委員会において公聴会を開くことになっています。

（したがって）本件については、○○常任委員会に付託して、審査することを望みます』

（賛　成）

○議長　ただいま○○○○君から、○○常任委員会に付託することの動議が提出されました。

この動議は、（○人以上の）賛成者がありますので、成立しました。

この採決は、起立によって行います。

この動議のとおり決定することに賛成の方は、起立願います。

（賛成者起立）

○議長　起立 多数／少数 です。

（したがって）本件について、○○常任委員会に付託することの動議は、可決されました。／否決されました。

(2) 特別委員会付託

ア 議長発議による場合

○議長　お諮りします。

「罷免の議決」については、地方自治法第百八十四条の二第一項の規定によって、委員会において公聴会を開くことになっています。

（以下、「46 特別委員会設置及び付託並びに選任」の項の一（二二六頁）の例による。）

イ 動議による場合

○議員 『動議を提出します。

「罷免の議決」については、地方自治法第百八十四条の二第一項の規定によって、委員会において公聴会を開くことになっています。

（したがって）本件については、○人の委員で構成する「罷免審査特別委員会」を設置し、これに付託して、審査することを望みます』

（以下、「46 特別委員会設置及び付託並びに選任」の項の二（二二七頁）の例による。）

四 罷免の会議

○議長 日程第○、「選挙管理委員○○○○君の罷免に関する決議」を議題とします。

本件について ○○常任委員長／罷免審査特別委員長 の報告を求めます。

（○○常任委員長／罷免審査特別委員長　報告）

○議長　これから委員長の報告に対する質疑を行います。

（以下、「15　議案等の朗読、説明、質疑及び委員会付託」の項の四（一○○頁）の例による。）

○議長　これから討論を行います。

（以下、「24　討論」の項（一三六頁）の例による。）

○議長　これから日程第○、「選挙管理委員○○○○君の罷免に関する決議」を採決します。

この採決は、起立によって行います。

（以下、「32　表決」「二　起立表決」の項の「(2)　委員会付託の場合」（一五四頁）の例による。）

64

任命/選任した行政委員会委員の罷免同意（法一九七の二、地方公務員法九の二6、地方教育行政の組織及び運営に関する法律七13、地方税法四二七、農業委員会等に関する法律一一1）

一 公聴会を開いてから議決する場合（法一九七の二、地方公務員法九の二6）

(1) 提出者の説明

○議長 日程第○、「同意第○号（監査委員、公平委員）○○○○君の罷免について同意を求める件」を議題とします。

提出者の説明を求めます。

○○町（村）長。

（○○町（村）長の説明）

(2) 罷免に対する質疑

○議長 これから質疑を行います。

（以下、「15 議案等の朗読、説明、質疑及び委員会付託」の項の**四**（一〇〇頁）の例による。）

⑶ **罷免の委員会付託**

（以下、「63 選挙管理委員の罷免」の項の三（二九一頁）の例による。）

⑷ **罷免の会議**

（以下、「63 選挙管理委員の罷免」の項の**四**（二九四頁）の例による。）

二 公聴会を開かないで議決する場合（地方教育行政の組織及び運営に関する法律七1、地方税法四二七、農業委員会等に関する法律一一1）

○議長 日程第○、「同意第○号（教育長、教育委員、固定資産評価審査委員、農業委員）○○○○君の罷免について同意を求める件」を議題とします。

提出者の説明を求めます。

○○町（村）長。

（○○町（村）長の説明）

（質疑、討論があれば、これを許す）

○議長 これから日程第○、「同意第○号（教育長、教育委員、固定資産評価審査委員、農業委員）○○○○君の罷免について同意を求める件」を採決します。
この採決は、起立によって行います。
本件は、これに同意することに賛成の方は、起立願います。
（賛成者起立）
○議長　起立［多数／少数］です。
（したがって）「同意第○号　（教育長、教育委員、固定資産評価審査委員、農業委員）○○○○君の罷免について同意を求める件」は、同意［する／しない］ことに決定しました。

65　諮問に対する答申（法二〇六3・二二九3・二三一の三8・二三八の七3・二四三の二の二12・二四四の四3、人権擁護委員法六3等）

一　委員会審査を経ないで答申する場合

○議長　日程第○、諮問第○号　○○○○を議題とします。

○○町（村）長の説明を求めます。

○○町（村）長。

（○○町（村）長説明）

（長の説明に対する質疑があれば許す）

（休憩して答申案を調整した上で、議長発議又は動議により提出する）

（動議の場合、質疑があれば許し、討論があれば討論の後）

○議長　お諮りします。

本件は、お手元に配りました意見のとおり答申したいと思います。

ご異議ありませんか。

（異議がないとき）

○議長　「異議なし」と認めます。

（したがって）諮問第○号　○○○○は、お手元に配りました意見のとおり答申することに決定しました。

二　委員会審査を経て答申する場合

○議長　日程第○、諮問第○号　○○○○を議題とします。

本件に関し委員長の報告を求めます。

○○常任／特別委員長。

（○○常任／特別委員長報告）

（委員長報告に対する質疑があれば許し、討論があれば討論の後）

○議長　これから諮問第○号　○○○○を採決します。

この採決は、起立によって行います。

本件は、委員長の報告のとおり答申することに賛成の方は、起立願います。

（賛成者起立）

○議長　起立多数です。

（したがって）諮問第○号　○○○○は、委員長の報告のとおり答申することに決定しました。

（注）　委員長報告が過半数の賛成を得られないときは、別の答申案を動議で出すか、諮問事項を再付託する。

66

決算認定（委員会に付託の場合）（法二三三）

○議長 日程第○、「認定第○号 令和○年度○○町（村）一般会計歳入歳出決算認定の件」を議題とします。

（委員長報告の後、質疑、討論があれば、これを許す）

○議長 これから「令和○年度○○町（村）一般会計歳入歳出決算認定の件」を採決します。

この採決は、起立によって行います。

この決算に対する委員長の報告は、「認定」とするものです。

この決算は、委員長の報告のとおり認定することに賛成の方は、起立願います。

（賛成者起立）

○議長 起立 多数｜少数 です。

（したがって）「令和○年度○○町（村）一般会計歳入歳出決算」については、認定 する｜しない ことに決定しました。

（**注**）

1 特別会計歳入歳出決算を一括して、議題とする場合もある。

2　一括議題とした場合であっても、採決は一件ごとに行う。

3　決算の認定に当たっては、別途意見を提出し、可決することもできる。

4　不認定の場合、町（村）長は、当該不認定を踏まえて必要と認める措置を講じたときは、速やかに、当該措置の内容を議会に報告するとともに、これを公表しなければならない。

67 「地方公共団体の議会の解散に関する特例法」に基づく解散

一 日程にある場合

○**議長** 日程第○、「○○町（村）議会の解散に関する決議」を議題とします。
提出者の説明を求めます。
○○○○君。

（○○○○君説明）

○**議長** これから質疑を行います。（質疑はありませんか。）

（質疑がないとき）

○**議長** 「質疑なし」と認めます。

○**議長** これから討論を行います。（討論はありませんか。）

（討論がないとき）

○**議長** 「討論なし」と認めます。

○**議長** これから「○○町（村）議会解散に関する決議」を採決します。

この採決は、記名／無記名投票で行います。

議場の出入口を閉めます。

（議場を閉める）

○議長　ただいまの出席議員数は、○○人です。

○議長　次に、立会人を指名します。

会議規則第三十二条第二項の規定によって、立会人に○○○○君及び△△△△君を指名します。

○議長　投票用紙を配ります。

（念のため申し上げます。）

本案を賛成とする方は、「賛成」と、反対とする方は、「反対」と記載し、自己の氏名も併せて記載願います。（記名投票の場合）／願います。

（投票用紙の配布）

○議長　投票用紙の配布漏れは、ありませんか。

（な　し）

○議長　「配布漏れなし」と認めます。

○議長　投票箱を点検します。

（投票箱の点検）

○議長　「異状なし」と認めます。

○議長　これから投票を行います。

事務局長（職員）が議席番号と氏名を呼び上げますので、順番に投票願います。

（点　　呼）

（○番　○○議員）

（注）議長が「一番議員から順番に投票願います。」という方法もある。

（投　　票）

○議長　投票漏れは、ありませんか。

（な　　し）

○議長　「投票漏れなし」と認めます。

○議長　投票を終わります。

○議長　開票を行います。

○議長　○○○○君及び△△△△君。開票の立ち会いをお願いします。

（開　　票）

○議長　（念のため申し上げます）

本案の議決については、地方公共団体の議会の解散に関する特例法第二条第二項の規定によって、議員数の四分の三以上の者が出席し、その五分の四以上の者の同意を必要とします。

ただいまの出席議員数は○○人であり、議員数の四分の三以上です。

また、出席議員の五分の四は○○人です。

○議長　投票の結果を報告します。

投票総数　○○票

賛　成　○○票

反　対　○○票

以上のとおり賛成は、五分の四 以上です。／に達しません。

（したがって）「○○町（村）議会の解散に関する決議」は、可決されました。／否決されました。

○議長 議場の出入口を開きます。

（議場を開く）

（可決された場合）

○議長 ただいまの議決によって、地方公共団体の議会の解散に関する特例法第二条第三項の規定に基づいて○○町（村）の議会は、解散されました。

二 日程にない場合

○議長 ただいま、○○○○君ほか○人から、「○○町（村）議会の解散に関する決議」が提出されました。

お諮りします。

本案を日程に追加し、追加日程第○として、（日程の順序を変更し、直ちに）議題とすることにご異議ありませんか。

（異議がないとき）

○議長 「異議なし」と認めます。

（したがって）「○○町（村）議会の解散に関する決議」を日程に追加し、追加日程第○

として、（日程の順序を変更し、直ちに）議題とすることに決定しました。

追加日程第○、「○○町（村）議会の解散に関する決議」を議題とします。

（以下、本項の「一　日程にある場合」の項（三〇四頁）の例による。）

（注）「（日程の順序を変更し、直ちに）」とあるのは、日程の最初又は中途で議題とする場合に用いる。

資料・付録

○「標準」町村議会会議規則

（最終改正　令和三年二月九日）

目次

第一章　総則（第一条―第十三条）
第二章　議案及び動議（第十四条―第二十条）
第三章　議事日程（第二十一条―第二十五条）
第四章　選挙（第二十六条―第三十五条）
第五章　議事（第三十六条―第四十九条）
第六章　発言（第五十条―第六十四条）
第七章　委員会（第六十五条―第七十七条）
第八章　表決（第七十八条―第八十八条）
第九章　請願（第八十九条―第九十五条）
第十章　秘密会（第九十六条・第九十七条）
第十一章　辞職及び資格の決定（第九十八条―第百一条）
第十二章　規律（第百二条―第百九条）
第十三章　懲罰（第百十条―第百十六条）
第十四章　公聴会（第百十七条―第百二十二条）
第十五章　参考人（第百二十三条）
第十六章　会議録（第百二十四条―第百二十七条）
第十七章　全員協議会（第百二十八条）
第十八章　議員の派遣（第百二十九条）
第十九章　補則（第百三十条）
附則

第一章　総則

（参集）

第一条　議員は、招集の当日開議定刻前に議事堂に参集し、その旨を議長に通告しなければならない。

（欠席の届出）

第二条　議員は、公務、傷病、出産、育児、看護、介護、配偶者の出産補助その他のやむを得ない事由のため出席できないときは、その理由を付け、当日の開議時刻までに議長に届け出なければならない。

2　前項の規定にかかわらず、議員が出産のため出席できないときは、出産予定日の六週間（多胎妊娠の場合にあつては、十四週間）前の日から当該出産の日後八週間を経過する日までの範囲内において、その期間を明らかにして、あらかじめ議長に欠席届を提出することができる。

（宿所又は連絡所の届出）

第三条　議員は、別に宿所又は連絡所を定めたときは、議長に届け出なければならない。これを変更したときも、また同様とする。（参考）

（議席）

第四条　議員の議席は、一般選挙後最初の会議において、議長が定める。

2　一般選挙後新たに選挙された議員の議席は、議長が定める。

3　議長は、必要があると認めるときは、議席を変更することができる。

4　議席には、番号及び氏名標を付ける。

（会期）

第五条　会期は、毎会期の初めに議会の議決で定める。

2　会期は、招集された日から起算する。

（会期の延長）

第六条　会期は、議会の議決で延長することができる。

（会期中の閉会）

第七条　会議に付された事件をすべて議了したときは、会期中でも議会の議決で閉会することができる。

（議会の開閉）

第八条　議会の開閉は、議長が宣告する。

（会議時間）

第九条　会議時間は、午　○時から午後五時までとする。

2　議長は、必要があると認めるときは、会議時間を変更することができる。ただし、出席議員○人以上から異議があるときは、討論を用いないで会議に諮つて決める。

3　会議の開始は、号鈴で報ずる。

（休会）

第十条　町（村）の休日は、休会とする。

２　議事の都合その他必要があるときは、議会は、議決で休会とすることができる。

３　議長が、特に必要があると認めるときは、休会の日でも会議を開くことができる。

４　地方自治法（昭和二十二年法律第六十七号。以下「法」という。）第百十四条《議員の請求による開議》第一項の規定による請求があつた場合のほか、議会の議決があつたときは、議長は、休会の日でも会議を開かなければならない。

（会議の開閉）

第十一条　開議、散会、延会、中止又は休憩は、議長が宣告する。

２　議長が開議を宣告する前又は散会、延会、中止若しくは休憩を宣告した後は、何人も、議事について発言することができない。

（定足数に関する措置）

第十二条　開議時刻後相当の時間を経ても、なお出席議員が定足数に達しないときは、議長は、延会を宣告することができる。

２　会議中定足数を欠くに至るおそれがあると認めるときは、議長は、議員の退席を制止し、又は議場外の議員に出席を求めることができる。

３　会議中定足数を欠くに至つたときは、議長は、休憩又は延会を宣告する。

（出席催告）

第十三条　法第百十三条《定足数》の規定による出席催告の方法は、議事堂に現在する議員又は議員の住所（別に宿所又は連絡所の届出をした者については、当該届出の宿所又は連絡所）に文書又は口頭をもつて行う。

第二章　議案及び動議

（議案の提出）

第十四条　法第百十二条《議員の議案提出権》の規定によるものを除くほか、議員が議案を提出するに当たつては、〇人以上の者の賛成がなければならない。

２　議員が議案を提出しようとするときは、その案をそなえ、理由を付け、所定の賛成者とともに連署して、議長に提出しなければならない。

３　委員会が議案を提出しようとするときは、その案をそなえ、理由を付け、委員長が議長に提出しなければならない。

（一事不再議）

第十五条　議会で議決された事件については、同一会期中は、再び提出することができない。

（動議成立に必要な賛成者の数）

第十六条　動議は、法又はこの規則において特別の規定がある場合を除くほか、他に一人以上の賛成者がなければ議題とすることができない。

（修正の動議）

第十七条　法第百十五条の三《修正の動議》の規定によるものを除くほか、議会が修正の動議を議題とするに当たつては、〇人以上の者の発議によらなければならない。

2　修正の動議は、その案をそなえ、所定の発議者が連署して、議長に提出しなければならない。

（秘密会の動議）

第十八条　秘密会の動議は、所定の発議者が連署して、議長に提出しなければならない。

（先決動議の措置）

第十九条　他の事件に先立つて表決に付さなければならない動議が競合したときは、議長が表決の順序を定める。ただし、出席議員〇人以上から異議があるときは、討論を用いないで会議に諮つて決める。

（事件の撤回又は訂正及び動議の撤回）

第二十条　会議の議題となつた事件を撤回し、又は訂正しようとするとき及び会議の議題となつた動議を撤回しようとするときは、議会の許可を得なければならない。ただし、会議の議題となる前においては、議長の許可を得なければならない。

2　前項の許可を求めようとするときは、提出者から事件については文書により、動議については文書又は口頭により、請求しなければならない。

第三章　議事日程

（日程の作成及び配布）

第二十一条　議長は、開議の日時、会議に付する事件及びその順序等を記載した議事日程を定め、あらかじめ議員に配布する。ただし、やむを得ないときは、議長がこれを報告して配布に代えることができる。

（日程の順序変更及び追加）

第二十二条　議長が必要があると認めるとき又は議員から動議が提出されたときは、議長は、討論を用いないで会議に諮つて、議事日程の順序を変更し、又は他の事件を追加することができる。

（議事日程のない会議の通知）

第二十三条　議長は、必要があると認めるときは、開議の日時だけを議員に通知して会議を開くことができる。

2　前項の場合、議長は、その開議までに議事日程を定めなければならない。

（延会の場合の議事日程）

第二十四条　議事日程に記載した事件の議事を開くに至らなかつたとき、又はその議事が終わらなかつたときは、議長は、更にその日程を定めなければならない。

（日程の終了及び延会）

第二十五条　議事日程に記載した事件の議事を終わつたとき

は、議長は、散会を宣告する。

2 議事日程に記載した事件の議事が終わらない場合でも、議長が必要があると認めるとき又は議員から動議が提出されたときは、議長は、討論を用いないで会議に諮つて延会することができる。

第四章 選挙

（選挙の宣告）

第二十六条 議会において選挙を行うときは、議長は、その旨を宣告する。

（不在議員）

第二十七条 選挙を行う宣告の際、議場にいない議員は、選挙に加わることができない。

（議場の出入口閉鎖）

第二十八条 投票による選挙を行うときは、議長は、第二十六条《選挙の宣告》の規定による宣告の後、職員をして議場の出入口を閉鎖させ、出席議員数を報告する。

（投票用紙の配布及び投票箱の点検）

第二十九条 投票を行うときは、議長は、職員をして議員に所定の投票用紙を配布させた後、配布漏れの有無を確かめなければならない。

2 議長は、職員をして投票箱を点検させなければならない。

（投票）

第三十条 議員は、議長の指示に従つて、順次、投票する。

（投票の終了）

第三十一条 議長は、投票が終わつたと認めるときは、投票漏れの有無を確かめ、投票の終了を宣告する。その宣告があつた後は、投票することができない。

（開票及び投票の効力）

第三十二条 議長は、開票を宣告した後、○人以上の立会人とともに投票を点検しなければならない。

2 前項の立会人は、議長が議員の中から指名する。

3 投票の効力は、立会人の意見を聞いて議長が決定する。

（選挙結果の報告）

第三十三条 議長は、選挙の結果を直ちに議場において報告する。

2 議長は、当選人に当選の旨を告知しなければならない。

（選挙に関する疑義）

第三十四条 選挙に関する疑義は、議長が会議に諮つて決める。

（選挙関係書類の保存）

第三十五条 議長は、投票の有効無効を区別し、当該当選人の任期間、関係書類とともにこれを保存しなければならない。

第五章 議事

（議題の宣告）

第三十六条　会議に付する事件を議題とするときは、議長は、その旨を宣告する。

（一括議題）

第三十七条　議長は、必要があると認めるときは、二件以上の事件を一括して議題とすることができる。ただし、出席議員〇人以上から異議があるときは、討論を用いないで会議に諮つて決める。

（議案等の朗読）

第三十八条　議長は、必要があると認めるときは、議題になつた事件を職員をして朗読させる。

（議案等の説明、質疑及び委員会付託）

第三十九条　会議に付する事件は、他に規定する場合を除き、会議において提出者の説明を聞き、議員の質疑があるときは質疑の後、議長は、討論を用いないで会議に諮つて所管の常任委員会又は議会運営委員会に付託することができる。ただし、常任委員会又は議会運営委員会に係る事件は、議会の議決で特別委員会に付託することができる。

2　提出者の説明は、討論を用いないで会議に諮つて省略することができる。

（参考）

（議案等の説明、質疑及び委員会付託）

第三十九条　会議に付する事件は、第九十二条《請願の委員会付託》に規定する場合を除き、会議において提出者の説明を聞き、議員の質疑があるときは質疑の後、議長が所管の常任委員会又は議会運営委員会に付託する。ただし、常任委員会に係る事件は、議会の議決で特別委員会に付託することができる。

2　前項の規定にかかわらず、委員会提出の議案は、委員会に付託しない。ただし、議会の議決で付託することができる。

3　提出者の説明又は第一項の委員会の付託は、議会の議決で省略することができる。

（付託事件を議題とする時期）

第四十条　委員会に付託した事件は、第七十七条《委員会報告書》の規定による報告書の提出をまつて議題とする。

（委員長及び少数意見の報告）

第四十一条　委員会が審査又は調査した事件が議題となつたときは、委員長がその経過及び結果を報告する。

2　第七十六条《少数意見の留保》第二項の規定による手続を行つた者は、前項の報告に次いで少数意見の報告をすることができる。この場合において、少数意見が二個以上あるときの報告の順序は、議長が定める。

3　前二項の報告は、討論を用いないで会議に諮つて省略することができる。

4　委員長の報告及び少数意見の報告には、自己の意見を加えてはならない。

（修正案の説明）

第四十二条　提出者の説明又は委員長の報告及び少数意見の報告が終わつたときは、議長は、修正案の説明をさせる。

（参考）

（修正案の説明）

第四十二条　委員長の報告及び少数意見の報告が終わつたとき又は委員会の付託を省略したときは、議長は、修正案の説明をさせる。

（委員長報告等に対する質疑）

第四十三条　議員は、委員長及び少数意見を報告した者に対し、質疑をすることができる。修正案に関しては、事件又は修正案の提出者及び説明のための出席者に対しても、また同様とする。

（討論及び表決）

第四十四条　議長は、前条の質疑が終わつたときは討論に付し、その終結の後、表決に付する。

（議決事件の字句及び数字等の整理）

第四十五条　議会は、議決の結果生じた条項、字句、数字その他の整理を議長に委任することができる。

（委員会の審査又は調査の期限）

第四十六条　議会は、必要があると認めるときは、委員会に付託した事件の審査又は調査につき期限を付けることができる。

2　前項の期限までに審査又は調査を終わることができないときは、委員会は、期限の延期を議会に求めることができる。

3　前二項の期限までに審査又は調査を終わらなかつたときは、その事件は、第四十条《付託事件を議題とする時期》の規定にかかわらず、議会において審議することができる。

（委員会の中間報告）

第四十七条　議会は、委員会の審査又は調査中の事件について、特に必要があると認めるときは、中間報告を求めることができる。

2　委員会は、その審査又は調査中の事件について、特に必要があると認めるときは、議会の承認を得て、中間報告をすることができる。

（再審査又は再調査のための付託）

第四十八条　委員会の審査又は調査を経て報告された事件で、なお審査又は調査の必要があると認めるときは、議会は、更にその事件を同一の委員会又は他の委員会に付託することができる。

（議事の継続）

第四十九条　延会、中止又は休憩のため事件の議事が中断された場合において、再びその事件が議題となつたときは、前の議事を継続する。

第六章　発言

（発言の許可等）
第五十条　発言は、すべて議長の許可を得た後、登壇してしなければならない。ただし、発言が簡単な場合その他特に議長が許可したときは、議席で発言することができる。
2　議長は、議席で発言する議員を登壇させることができる。

（発言の要求）
第五十一条　会議において発言しようとする者は、起立して「議長」と呼び、自己の議席番号を告げ、議長の許可を求めなければならない。
2　二人以上起立して発言を求めたときは、議長は、先起立者と認める者から指名して発言させる。

（討論の方法）
第五十二条　討論については、議長は、最初に反対者を発言させ、次に賛成者と反対者を、なるべく交互に指名して発言させなければならない。

（議長の発言及び討論）
第五十三条　議長が議員として発言しようとするときは、議席に着き発言し、発言が終わつた後、議長席に復さなければならない。ただし、討論をしたときは、その議題の表決が終わるまでは、議長席に復することができない。

（発言内容の制限）
第五十四条　発言は、すべて簡明にするものとし、議題外にわたり又はその範囲を超えてはならない。
2　議長は、発言が前項の規定に反すると認めるときは注意し、なお従わない場合は、発言を禁止することができる。
3　議員は、質疑に当たつては、自己の意見を述べることができない。

（質疑の回数）
第五十五条　質疑は、同一議員につき、同一の議題について三回を超えることができない。ただし、特に議長の許可を得たときは、この限りでない。

（発言時間の制限）
第五十六条　議長は、必要があると認めるときは、あらかじめ発言時間を制限することができる。
2　議長の定めた時間の制限について、出席議員〇人以上から異議があるときは、議長は、討論を用いないで会議に諮つて決める。

（議事進行に関する発言）
第五十七条　議事進行に関する発言は、議題に直接関係のあるもの又は直ちに処理する必要があるものでなければならない。
2　議事進行に関する発言がその趣旨に反すると認めるとき

は、議長は、直ちに制止しなければならない。

（発言の継続）

第五十八条　延会、中止又は休憩のため発言が終わらなかつた議員は、更にその議事を始めたときは、前の発言を続けることができる。

（質疑又は討論の終結）

第五十九条　質疑又は討論が終わつたときは、議長は、その終結を宣告する。

２　質疑又は討論が続出して容易に終結しないときは、議員は、質疑又は討論終結の動議を提出することができる。

３　質疑又は討論終結の動議については、議長は、討論を用いないで会議に諮つて決める。

（選挙及び表決時の発言制限）

第六十条　選挙及び表決の宣告後は、何人も発言を求めることができない。ただし、選挙及び表決の方法についての発言は、この限りでない。

（一般質問）

第六十一条　議員は、町（村）の一般事務について、議長の許可を得て、質問することができる。

２　質問者は、議長の定めた期間内に、議長にその要旨を文書で通告しなければならない。

３　質問の順序は、議長が定める。

４　質問の通告をした者が欠席したとき、又は質問の順序に当たつても質問しないとき、若しくは議場に現在しないときは、通告は、その効力を失う。

（緊急質問等）

第六十二条　質問が緊急を要するときその他真にやむを得ないと認められるときは、前条の規定にかかわらず、議会の同意を得て質問することができる。この場合における議会の同意については、議長は、討論を用いないで会議に諮らなければならない。

２　前項の質問がその趣旨に反すると認めるときは、議長は、直ちに制止しなければならない。

（準用規定）

第六十三条　質問については、第五十五条《質疑の回数》及び第五十九条《質疑又は討論の終結》第一項の規定を準用する。

（発言の取消し又は訂正）

第六十四条　議員は、その会期中に限り、議会の許可を得て自己の発言を取り消し、又は議長の許可を得て発言の訂正をすることができる。ただし、発言の訂正は、字句に限るものとし、発言の趣旨を変更することはできない。

第七章　委員会

（議長への通知）

第六十五条　委員会を招集しようとするときは、委員長は、開会の日時、場所、事件等をあらかじめ議長に通知しなければならない。

（会議中の委員会の禁止）

第六十六条　委員会は、議会の会議中は、開くことができない。

（委員の発言）

第六十七条　委員は、議題について自由に質疑し、及び意見を述べることができる。ただし、委員会において別に発言の方法を決めたときは、この限りでない。

（委員外議員の発言）

第六十八条　委員会は、審査又は調査中の事件について、必要があると認めるときは、委員でない議員に対しその出席を求めて説明又は意見を聞くことができる。

2　委員会は、委員でない議員から発言の申出があつたときは、その許否を決める。

（委員の議案修正）

第六十九条　委員は、修正案を発議しようとするときは、その案をあらかじめ委員長に提出しなければならない。

（分科会又は小委員会）

第七十条　委員会は、審査又は調査のため必要があると認めるときは、分科会又は小委員会を設けることができる。

（連合審査会）

第七十一条　委員会は、審査又は調査のため必要があると認めるときは、他の委員会と協議して連合審査会を開くことができる。

（証人出頭又は記録提出の要求）

第七十二条　委員会は、法第百条《調査権》の規定による調査を委託された場合において、証人の出頭又は記録の提出を求めようとするときは、議長に申し出なければならない。

（所管事務等の調査）

第七十三条　常任委員会は、その所管に属する事務について調査しようとするときは、その事項、目的、方法及び期間等をあらかじめ議長に通知しなければならない。

2　議会運営委員会が、法第百九条第三項に規定する調査をしようとするときは、前項の規定を準用する。

（委員の派遣）

第七十四条　委員会は、審査又は調査のため委員を派遣しようとするときは、その日時、場所、目的及び経費等を記載した派遣承認要求書を議長に提出し、あらかじめ承認を得なければならない。

（閉会中の継続審査）

第七十五条　委員会は、閉会中もなお審査又は調査を継続する必要があると認めるときは、その理由を付け、議長に申し出なければならない。

（少数意見の留保）

第七十六条　委員は、委員会において少数で廃棄された意見で他に出席委員一人以上の賛成があるものは、これを少数意見として留保することができる。

2　前項の規定により少数意見を留保した者がその意見を議会に報告しようとする場合においては、簡明な少数意見報告書を作り、委員会の報告書が提出されるまでに、委員長を経て議長に提出しなければならない。

（委員会報告書）

第七十七条　委員会は、事件の審査又は調査を終わったときは、報告書を作り、議長に提出しなければならない。

第八章　表決

（表決問題の宣告）

第七十八条　議長は、表決を採ろうとするときは、表決に付する問題を会議に宣告する。

（不在議員）

第七十九条　表決を行う宣告の際、議場にいない議員は、表決に加わることができない。

（条件の禁止）

第八十条　表決には、条件を付けることができない。

（起立による表決）

第八十一条　議長は、表決を採ろうとするときは、問題を可とする者を起立させ、起立者の多少を認定して可否の結果を宣告する。

2　議長が起立者の多少を認定しがたいとき、又は議長の宣告に対して出席議員〇人以上から異議があるときは、議長は、記名又は無記名の投票で表決を採らなければならない。

（投票による表決）

第八十二条　議長が必要があると認めるとき、又は出席議員〇人以上から要求があるときは、記名又は無記名の投票で表決を採る。

2　同時に記名投票と無記名投票の要求があるときは、議長は、いずれの方法によるかを無記名投票で決める。

（記名及び無記名の投票）

第八十三条　投票による表決を行う場合には、問題を可とする者は賛成と、否とする者は反対と所定の投票用紙に記載し、投票しなければならない。ただし、記名投票の場合は、自己の氏名を併記しなければならない。

（白票の取扱い）

第八十四条　投票による表決において、賛否を表明しない投票及び賛否が明らかでない投票は、否とみなす。

（選挙規定の準用）

第八十五条　記名又は無記名の投票を行う場合には、第二十八条《議場の出入口閉鎖》、第二十九条《投票用紙の配布及び投票箱の点検》、第三十条《投票》、第三十一条《投票の終了》、第三十二条《開票及び投票の効力》、第三十三条《選挙結果の報告》第一項、第三十四条《選挙に関する疑義》及び第三十五条《選挙関係書類の保存》の規定を準用する。

（表決の訂正）

第八十六条　議員は、自己の表決の訂正を求めることができない。

（簡易表決）

第八十七条　議長は、問題について異議の有無を会議に諮ることができる。異議がないと認めるときは、議長は、可決の旨を宣告する。ただし、議長の宣告に対して、出席議員○人以上から異議があるときは、議長は、起立の方法で表決を採らなければならない。

（表決の順序）

第八十八条　議員の提出した修正案は、委員会の修正案より先に表決を採らなければならない。

2　同一の議題について、議員から数個の修正案が提出されたときは、議長が表決の順序を定める。その順序は、原案に最も遠いものから先に表決を採る。ただし、表決の順序について出席議員○人以上から異議があるときは、議長は、討論を用いないで会議に諮つて決める。

3　修正案がすべて否決されたときは、原案について表決を採る。

第九章　請願

（請願書の記載事項等）

第八十九条　請願書には、邦文を用い、請願の趣旨、提出年月日及び請願者の住所（法人の場合にはその所在地）を記載し、請願者（法人の場合にはその名称を記載し、代表者）が署名又は記名押印しなければならない。

2　請願を紹介する議員は、請願書の表紙に署名又は記名押印しなければならない。

3　請願書の提出は、平穏になされなければならない。

（請願の紹介の取消し）

第九十条　議員が請願の紹介を取り消そうとするときは、会議の議題となつた後においては議会の許可を得なければならない。ただし、会議の議題となる前においては、議長の許可を得なければならない。

2　前項の許可を求めようとするときは、文書により請求しなければならない。

（請願文書表の作成及び配布）

第九十一条　議長は、請願文書表を作成し、議員に配布する。

2　請願文書表には、請願書の受理番号、請願者の住所及び氏名、請願の要旨、紹介議員の氏名並びに受理年月日を記載する。

3　請願者数人連署のものはほか何人と、同一議員の紹介による数件の内容同一のものはほか何件と記載する。

（参考）

（請願書の写しの配布）

第九十一条　議長は、受理番号及び受理年月日を記載した請願書の写しを議員に配布する。

（請願の委員会付託）

第九十二条　議長は、第三十九条《議案等の説明、質疑及び委員会付託》第一項の規定にかかわらず、請願文書表の配布とともに、請願を所管の常任委員会又は議会運営委員会に付託する。ただし、会議に付した請願で常任委員会に係るものは、議会の議決で特別委員会に付託することができる。

（注　前条において請願書の写しを配布する場合においては、「請願文書表」とあるのは「請願書の写し」とする。）

2　会議に付した請願の委員会の付託は、議会の議決で省略することができる。

3　請願の内容が二以上の委員会の所管に属する場合は、二以上の請願が提出されたものとみなし、それぞれの委員会に付託する。

（参考）

（請願の委員会付託）

第九十二条　議長は、請願文書表の配布とともに、請願を所管の常任委員会又は議会運営委員会に付託する。ただし、会議に付した請願で常任委員会に係るものは、議会の議決で特別委員会に付託することができる。

（注　前条において請願書の写しを配布する場合においては、「請願文書表」とあるのは「請願書の写し」とする。）

2　会議に付した請願の委員会の付託は、議会の議決で省略することができる。

3　請願の内容が二以上の委員会の所管に属する場合は、二以上の請願が提出されたものとみなし、それぞれの委員会に付託する。

（紹介議員の委員会出席）

第九十三条　委員会は、審査のため必要があると認めるときは、紹介議員の説明を求めることができる。

2　紹介議員は、前項の求めがあつたときは、これに応じなければならない。

（請願の審査報告）

第九十四条　委員会は、請願について審査の結果を次の区分により議長に報告しなければならない。

一　採択すべきもの
二　不採択とすべきもの
2　委員会は、必要があると認めるときは、請願の審査結果に意見を付けることができる。
3　採択すべきものと決定した請願で、町（村）長その他の関係執行機関に送付することを適当と認めるもの並びにその処理の経過及び結果の報告を請求することを適当と認めるものについては、その旨を付記しなければならない。

（陳情書の処理）
第九十五条　陳情書又はこれに類するもので議長が必要があると認めるものは、請願書の例により処理するものとする。

第十章　秘密会

（指定者以外の退場）
第九十六条　秘密会を開く議決があつたときは、議長は、傍聴人及び議長の指定する者以外の者を議場の外に退去させなければならない。

（秘密の保持）
第九十七条　秘密会の議事の記録は、公表しない。
2　秘密会の議事は、何人も秘密性の継続する限り、他に漏らしてはならない。

第十一章　辞職及び資格の決定

（議長及び副議長の辞職）
第九十八条　議長が辞職しようとするときは副議長に、副議長が辞職しようとするときは議長に、辞表を提出しなければならない。
2　前項の辞表の提出があつたときは、その旨議会に報告し、討論を用いないで会議に諮つてその許否を決める。
3　閉会中に副議長の辞職を許可した場合は、議長は、その旨を次の議会に報告しなければならない。

（議員の辞職）
第九十九条　議員が辞職しようとするときは、議長に辞表を提出しなければならない。
2　前条第二項及び第三項の規定は、議員の辞職について、準用する。

（資格決定の要求）
第百条　法第百二十七条《失職及び資格決定》第一項の規定により、議員の被選挙権の有無又は法第九十二条の二《議員の兼業禁止》の規定に該当するかどうかについて議会の決定を求めようとする議員は、要求の理由を記載した要求書を証拠書類とともに議長に提出しなければならない。

（資格決定の審査）

第百一条　前条の要求については、議会は、第三十九条《議案等の説明、質疑及び委員会付託》第一項の規定にかかわらず、委員会に付託しなければ決定することができない。

（参考）

（資格決定の審査）

第百一条　前条の要求については、議会は、第三十九条《議案等の説明、質疑及び委員会付託》第三項の規定にかかわらず、委員会の付託を省略して決定することができない。

第十二章　規律

（品位の尊重）

第百二条　議員は、議会の品位を重んじなければならない。

（携帯品）

第百三条　議場に入る者は、帽子、外とう、襟巻、つえ、かさ、写真機及び録音機の類を着用し、又は携帯してはならない。ただし、病気その他の理由により議長の許可を得たときは、この限りでない。

（議事妨害の禁止）

第百四条　何人も、会議中は、みだりに発言し、騒ぎ、その他議事の妨害となる言動をしてはならない。

（離席）

第百五条　議員は、会議中みだりに議席を離れてはならない。

（禁煙）

第百六条　何人も、議場において喫煙してはならない。

（新聞等の閲読禁止）

第百七条　何人も、会議中は、参考のためにするもののほか、新聞紙又は書籍の類を閲読してはならない。

（許可のない登壇の禁止）

第百八条　何人も、議長の許可がなければ演壇に登つてはならない。

（議長の秩序保持権）

第百九条　法又はこの規則に定めるもののほか、規律に関する問題は、議長が定める。ただし、議長は、必要があると認めるときは、討論を用いないで会議に諮つて決める。

第十三章　懲罰

（懲罰動議の提出）

第百十条　懲罰の動議は、文書をもつて所定の発議者が連署して、議長に提出しなければならない。

2　前項の動議は、懲罰事犯があつた日から起算して三日以内に提出しなければならない。ただし、第九十七条《秘密の保持》第二項の違反に係るものについては、この限りでない。

（懲罰の審査）

第百十一条　懲罰については、議会は、第三十九条《議案等の説明、質疑及び委員会付託》第一項の規定にかかわらず、委員会に付託しなければ決定することができない。

（参考）

（懲罰の審査）

第百十一条　懲罰については、議会は、第三十九条《議案等の説明、質疑及び委員会付託》第三項の規定にかかわらず、委員会の付託を省略して議決することができない。

（代理弁明）

第百十二条　議員は、自己に関する懲罰動議及び懲罰事犯の会議並びに委員会で一身上の弁明をする場合において、議会又は委員会の同意を得たときは、他の議員をして代わつて弁明させることができる。

（戒告又は陳謝の方法）

第百十三条　戒告又は陳謝は、議会の決めた戒告文又は陳謝文によつて行うものとする。

（出席停止の期間）

第百十四条　出席停止は、○日を超えることができない。ただし、数個の懲罰事犯が併発した場合又は既に出席を停止された者についてその停止期間内に更に懲罰事犯が生じた場合は、この限りでない。

（出席停止期間中出席したときの措置）

第百十五条　出席を停止された議員がその期間内に議会の会議又は委員会に出席したときは、議長又は委員長は、直ちに退去を命じなければならない。

（懲罰の宣告）

第百十六条　議会が懲罰の議決をしたときは、議長は、公開の議場において宣告する。

第十四章　公聴会

（公聴会開催の手続）

第百十七条　議会が、法第百十五条の二第一項の規定により、会議において、公聴会を開こうとするときは、議会の議決でこれを決定する。

2　議長は、前項の議会の議決があつたときは、その日時、場所及び意見を聴こうとする案件その他必要な事項を公示する。

（意見を述べようとする者の申出）

第百十八条　公聴会に出席して意見を述べようとする者は、文書であらかじめその理由及び案件に対する賛否を、議会に申し出なければならない。

（公述人の決定）

第百十九条　公聴会において意見を聴こうとする利害関係者及び学識経験者等（以下「公述人」という。）は、前条の規定によりあらかじめ申し出た者及びその他の者の中から、議会において定め、議長は、本人にその旨を通知する。

2　あらかじめ申し出た者の中に、その案件に対して、賛成者及び反対者があるときは、一方に偏らないように公述人を選ばなければならない。

（公述人の発言）

第百二十条　公述人が発言しようとするときは、議長の許可を得なければならない。

2　前項の発言は、その意見を聴こうとする案件の範囲を超えてはならない。

3　公述人の発言がその範囲を超え、又は公述人に不穏当な言動があるときは、議長は、発言を制止し、又は退席させることができる。

（議員と公述人の質疑）

第百二十一条　議員は、公述人に対して質疑をすることができる。

2　公述人は、議員に対して質疑をすることができない。

（代理人又は文書による意見の陳述）

第百二十二条　公述人は、代理人に意見を述べさせ、又は文書で意見を提示することができない。ただし、議会が特に許可した場合は、この限りでない。

第十五章　参考人

（参考人）

第百二十三条　議会が、法第百十五条の二第二項の規定により、会議において、参考人の出席を求めようとするときは、議会の議決でこれを決定する。

2　前項の場合において、議長は、参考人にその日時、場所及び意見を聴こうとする案件その他必要な事項を通知しなければならない。

3　参考人については、第百二十条《公述人の発言》、第百二十一条《議員と公述人の質疑》及び第百二十二条《代理人又は文書による意見の陳述》の規定を準用する。

第十六章　会議録

（会議録の記載事項）

第百二十四条　会議録に記載する事項は、次のとおりとする。

一　開会及び閉会に関する事項並びにその年月日時

二　開議、散会、延会、中止及び休憩の日時

三　出席及び欠席議員の氏名

四　職務のため議場に出席した事務局職員の職氏名

五　説明のため出席した者の職氏名

六　議事日程

七　議長の諸報告
八　議員の異動並びに議席の指定及び変更
九　委員会報告書及び少数意見報告書
十　会議に付した事件
十一　議案の提出、撤回及び訂正に関する事項
十二　選挙の経過
十三　議事の経過
十四　記名投票における賛否の氏名
十五　その他議長又は議会において必要と認めた事項
（参考）

（会議録の記録事項）
第百二十四条　会議録は、電磁的記録（電子的方式、磁気的方式その他人の知覚によつては認識することができない方式で作られる記録であつて、電子計算機による情報処理の用に供されるものをいう。）をもつて作成し、当該会議録に記録する事項は、次のとおりとする。
一　開会及び閉会に関する事項並びにその年月日時
二　開議、散会、延会、中止及び休憩の日時
三　出席及び欠席議員の氏名
四　職務のため議場に出席した事務局職員の職氏名
五　説明のため出席した者の職氏名
六　議事日程

七　議長の諸報告
八　議員の異動並びに議席の指定及び変更
九　委員会報告書及び少数意見報告書
十　会議に付した事件
十一　議案の提出、撤回及び訂正に関する事項
十二　選挙の経過
十三　議事の経過
十四　記名投票における賛否の氏名
十五　その他議長又は議会において必要と認めた事項

（会議録の配布）
第百二十五条　会議録は、印刷して、議員及び関係者に配布する。（参考）
（参考）

（会議録の配布）
第百二十五条　会議録は、当該会議録に記録された事項を記載した書面又は当該事項を記録した磁気ディスク（これに準ずる方法により一定の事項を確実に記録することができる物を含む。）を作成して、議員及び関係者に配布する。（参考）

（会議録に掲載しない事項）
第百二十六条　前条の会議録には、秘密会の議事並びに議長が取消しを命じた発言及び第六十四条《発言の取消し又は訂正》の規定により取り消した発言は、掲載しない。（参考）

（参考）

（会議録に掲載又は記録しない事項）

第百二十六条　前条の会議録には、秘密会の議事並びに議長が取消しを命じた発言及び第六十四条（発言の取消し又は訂正）の規定により取り消した発言は、掲載又は記録しない。

（参考）

（会議録署名議員）

第百二十七条　会議録に署名すべき議員は、○人とし、議長が会議において指名する。

（参考）

（会議録署名議員）

第百二十七条　会議録に法第百二十三条第三項に規定する署名に代わる措置をとらなければならない議員は、○人とし、議長が会議において指名する。

第十七章　全員協議会

（全員協議会）

第百二十八条　法第百条第十二項の規定により議案の審査又は議会の運営に関し協議又は調整を行うための場として、全員協議会を設ける。

2　全員協議会は、議員の全員で構成し、議長が招集する。

3　全員協議会の運営その他必要な事項は、議長が別に定める。

第十八章　議員の派遣

（議員の派遣）

第百二十九条　法第百条第十三項の規定により議員を派遣しようとするときは、議会の議決でこれを決定する。ただし、緊急を要する場合は、議長において議員の派遣を決定することができる。

2　前項の規定により、議員の派遣を決定するに当たつては、派遣の目的、場所、期間その他必要な事項を明らかにしなければならない。

第十九章　補則

（会議規則の疑義）

第百三十条　この規則の施行に関し疑義が生じたときは、議長が決める。ただし、異議があるときは、会議に諮つて決める。

附　則

この規則は、　　年　　月　　日から施行する。

○「標準」町村議会委員会条例

（最終改正　平成二六年一二月五日）

目次

第一章　通則

（常任委員会の設置）

第一条　議会に常任委員会を置く。

（常任委員会の名称、委員定数及びその所管）

第二条　常任委員会の名称、委員の定数及び所管は、次のとおりとする。

一　○○常任委員会　○人
　○○○○○に関する事務

（二号以下同文略）

（常任委員の任期）

第三条　常任委員の任期は、○年とする。ただし、後任者が選任されるまで在任する。

2　補欠委員の任期は、前任者の残任期間とする。

（常任委員の任期の起算）

第四条　常任委員の任期は、選任の日から起算する。ただし、任期満了による後任者の選任が任期満了前に行われたときは、その選任による委員の任期は、前任の委員の任期満了の日の翌日から起算する。

（議会運営委員会の設置）

第四条の二　議会に議会運営委員会を置く。

2　議会運営委員会の委員の定数は、○人とする。

3　前項の委員の任期については、前二条の規定を準用する。

（特別委員会の設置）

第五条　特別委員会は、必要がある場合において議会の議決で置く。

2　特別委員会の委員の定数は、議会の議決で定める。

（資格審査特別委員会及び懲罰特別委員会の設置）

第六条　議員の資格決定の要求又は懲罰の動議があつたときは、前条第一項の規定にかかわらず、資格審査特別委員会又は懲罰特別委員会が設置されたものとする。（参考）

2　資格審査特別委員会及び懲罰特別委員会の委員の定数は、前条第二項の規定にかかわらず、〇人とする。（参考）

（委員の選任）

第七条　議員は、少なくとも一の常任委員となるものとする。

2　常任委員及び議会運営委員は、会期の始めに議会において選任する。

3　特別委員は、議会において選任し、委員会に付議された事件が議会において審議されている間在任する。

4　常任委員、議会運営委員及び特別委員（以下「委員」という。）は、議長が会議に諮つて指名する。ただし、閉会中においては、議長が指名することができる。

5　常任委員及び議会運営委員の任期満了による後任者の選任は、その任期満了前〇日以内に行うことができる。

6　議長は、常任委員の申出があるときは、会議に諮つて当該委員の委員会の所属を変更することができる。ただし、閉会中においては、議長が変更することができる。

7　前項の規定により所属を変更した常任委員の任期は、第三条《常任委員の任期》第二項の例による。

（委員長及び副委員長）

第八条　常任委員会、議会運営委員会及び特別委員会（以下「委員会」という。）に、委員長及び副委員長一人を置く。

2　委員長及び副委員長は、委員会において互選する。

3　委員長及び副委員長の任期は、委員の任期による。

（委員長及び副委員長がともにないときの互選）

第九条　委員長及び副委員長がともにないときは、議長が委員会の招集日時及び場所を定めて、委員長の互選を行わせる。

2　前項の互選に関する職務は、年長の委員が行う。

（委員長の議事整理及び秩序保持権）

第十条　委員長は、委員会の議事を整理し、秩序を保持する。

（委員長の職務代行）

第十一条　委員長に事故があるとき又は委員長が欠けたときは、副委員長が委員長の職務を行う。

2　委員長及び副委員長にともに事故があるときは、年長の委員が委員長の職務を行う。

（委員長、副委員長及び委員の辞任）

第十二条　委員長及び副委員長が辞任しようとするときは、委員会の許可を得なければならない。

2　委員が辞任しようとするときは、議会の許可を得なければならない。ただし、閉会中においては、議長が許可することができる。

第二章　会議及び規律

（招集）

第十三条　委員会は、委員長が招集する。

２　委員の定数の半数以上の者から審査又は調査すべき事件を示して招集の請求があつたときは、委員長は、委員会を招集しなければならない。

（定足数）

第十四条　委員会は、委員の定数の半数以上の委員が出席しなければ会議を開くことができない。ただし、第十六条《委員長及び委員の除斥》の規定による除斥のため半数に達しないときは、この限りでない。

（表決）

第十五条　委員会の議事は、出席委員の過半数で決し、可否同数のときは、委員長の決するところによる。

２　前項の場合においては、委員長は、委員として議決に加わることができない。

（委員長及び委員の除斥）

第十六条　委員長及び委員は、自己若しくは父母、祖父母、配偶者、子、孫若しくは兄弟姉妹の一身上に関する事件又は自己若しくはこれらの者の従事する業務に直接の利害関係のある事件については、その議事に参与することができない。ただし、委員会の同意があつたときは、会議に出席して、発言することができる。

（傍聴の取扱）

第十七条　委員会は、議員のほか、委員長の許可を得た者が傍聴することができる。

２　委員長は、必要があると認めるときは、傍聴人の退場を命ずることができる。

（秘密会）

第十八条　委員会は、その議決で秘密会とすることができる。

２　委員会を秘密会とする委員長又は委員の発議については、討論を用いないで委員会に諮つて決める。

（出席説明の要求）

第十九条　委員会は、審査又は調査のため、町（村）長、教育委員会の教育長、選挙管理委員会の委員長、公平委員会の委員長、農業委員会の会長及び監査委員その他法律に基づく委員会の代表者又は委員並びにその委任又は嘱託を受けた者に対し、説明のため出席を求めようとするときは、議長を経てしなければならない。

（秩序保持に関する措置）

第二十条　委員会において地方自治法（昭和二十二年法律第六十七号）、会議規則又はこの条例に違反し、その他委員会の秩序を乱す委員があるときは、委員長は、これを制止し、又は発言を取り消させることができる。

２　委員が前項の規定による命令に従わないときは、委員長は、当日の委員会が終わるまで発言を禁止し、又は退場させることができる。

3 委員長は、委員会が騒然として整理することが困難であると認めるときは、委員会を閉じ、又は中止することができる。

第三章 公聴会

（公聴会開催の手続）

第二十一条 委員会が、公聴会を開こうとするときは、議長の承認を得なければならない。

2 議長は、前項の承認をしたときは、その日時、場所及び意見を聴こうとする案件その他必要な事項を公示する。

（意見を述べようとする者の申出）

第二十二条 公聴会に出席して意見を述べようとする者は、文書であらかじめその理由及び案件に対する賛否を、その委員会に申し出なければならない。

（公述人の決定）

第二十三条 公聴会において意見を聴こうとする利害関係者及び学識経験者等（以下「公述人」という。）は、前条の規定によりあらかじめ申し出た者及びその他の者の中から、委員会において定め、議長を経て、本人にその旨を通知する。

2 あらかじめ申し出た者の中に、その案件に対して、賛成者及び反対者があるときは、一方に偏らないように公述人を選ばなければならない。

（公述人の発言）

第二十四条 公述人が発言しようとするときは、委員長の許可を得なければならない。

2 前項の発言は、その意見を聴こうとする案件の範囲を超えてはならない。

3 公述人の発言がその範囲を超え、又は公述人に不穏当な言動があるときは、委員長は、発言を制止し、又は退席させることができる。

（委員と公述人の質疑）

第二十五条 委員は、公述人に対して質疑をすることができる。

2 公述人は、委員に対して質疑をすることができない。

（代理人又は文書による意見の陳述）

第二十六条 公述人は、代理人に意見を述べさせ、又は文書で意見を提示することができない。ただし、委員会が特に許可した場合は、この限りでない。

第四章 参考人

（参考人）

第二十六条の二 委員会が、参考人の出席を求めるには、議長を経なければならない。

2 前項の場合において、議長は、参考人にその日時、場所及び意見を聴こうとする案件その他必要な事項を通知しなければならない。

3　参考人については、第二十四条《公述人の発言》、第二十五条《委員と公述人の質疑》及び第二十六条《代理人又は文書による意見の陳述》の規定を準用する。

第五章　記録

（記録）

第二十七条　委員長は、職員をして会議の概要、出席委員の氏名等必要な事項を記載した記録を作成させ、これに署名又は記名押印しなければならない。

2　前項の記録は、議長が保管する。

第六章　補則

（会議規則との関係）

第二十八条　この条例に定めるもののほか、委員会に関しては、会議規則の定めるところによる。

附　則

この条例は、　　年　　月　　日から施行する。

○町村議会の運営に関する基準

昭和60年2月制定
昭和62年1月改正
昭和63年10月改正
平成7年3月改正
平成19年3月改正
平成21年2月改正
平成25年5月改正
平成27年10月改正
平成30年10月改正
令和4年10月改正
全国町村議会議長会

まえがき

地方の時代の確立が望まれる今日、地方行政の多様化、専門化と相まって、議会の責務と役割は一層重いものとなっており、議会活動の充実と効率化が強く求められている。

議会活動の充実と効率化を一層図るためには、適正かつ円滑な議会運営が行われることが必要である。

もとより、それぞれの町村議会においては、地方自治法、会議規則、委員会条例等に基づいて、よりよい議会運営に努めているところであり、また、全国町村議会議長会においても、全国の町村議会の参考に供するため、昭和31年に「標準町村議会会議規則」及び「標準町村議会委員会条例」を作成したところであるが、更に、より実務的な指針を求める声が強かった。

そこで、本会では、昭和58年7月以来、全国各ブロックから選出された都道府県町村議会議長会事務局長で構成する小委員会を設け、鋭意その「町村議会の運営に関する基準」について審議、検討してきたが、今般成案を得、全国都道府県町村議会議長会会長及び事務局長の了解のもとに、ここに上梓することとした次第である。

その後、昭和61年12月に「標準」町村議会会議規則及び同委員会条例を全面改正したのに伴い、関係する部分の見直しを行ったのをはじめ、地方自治法の改正等を踏まえ、所要の改正を行ったところである。

今後この資料が、町村議会の一層民主的かつ効率的な運営に寄与できれば幸いである。

凡　例

1. この基準の配列は、「標準」町村議会会議規則の規定にそって編集した。
2. 各項目のうち、根拠規定があるものについては、これを末尾に表示し、その他のものについては、関係ある条文を参照条文として参考の便に供した。
3. 法令等の名称は、次の略語を用いた。

法………地方自治法
令………地方自治法施行令
標規………「標準」町村議会会議規則
標委………「標準」町村議会委員会条例
様式………書式例第五次改訂版

第一章　総　則

第一節　議会の呼称

1　議会の呼称は、会期ごとに順次回数を追って定例会、臨時会の別に令和○年第○回○○町（村）議会定例会（臨時会）とし、暦年更新する。（法一〇二）

（注）回数は、定例会、臨時会を通算し暦年更新する方法もある。

第二節　議会の招集

2　定例会は、年○回とし、○月、○月、○月…及び○月に招集されるのが通例である。（法一〇二）

（注）招集月を定める規則を制定している場合は、規則の定めによる。

3　議員の一般選挙があったときは、任期起算日からおおむね一〇日以内に議会構成のための初議会が招集されるのが通例である。（法一〇三、標委七）

4　町（村）長が議会を招集しようとするときは、あらかじめ議長（一般選挙後の最初に招集される議会においては事務局長）と協議し、招集告示をしたときは、その写しを添えて議長（事務局長）に通知される。（法一〇一、一〇二）

5　議長（一般選挙後の最初に招集される議会においては事務

局長）は、町（村）長から議会招集の通知を受理したときは、その旨を議員に通知する。（法一〇一、様式三）

第三節　告示依頼

6　臨時会において、議員又は委員会が発議する事件並びに請願（陳情）及び継続審査中の事件を付議するときは、議長から町（村）長に対し、告示を依頼する。ただし、開会中に緊急を要する事件があるときは、この限りでない。（法一〇二）

第四節　参　集

7　応招及び出席の通告は、事務局に備え付けの議員応招通告簿及び出席簿に押印して行う。（標規一）

（注）名札式によっている議会にあっては、それにより表示する。

8　議員が会議に出席できないときは、その理由を記した欠席届を議長に提出する。ただし、その開議時刻までに届け出ができない場合は、あらかじめ電話等で届け出る。（標規二）

9　議員が会議に遅参するときは、電話等により議長に届け出る。

（注）閉会中においても、議会外の用務のため〇日間以上町（村）を離れるときは、議長に通知する。

第五節　議　席

10　一般選挙後の最初の会議における仮議席は、開議前に協議又はくじで定めたとおりとし、臨時議長が指定する。（標規四）

11　議席は、一般選挙後最初の会議において、議長が指定する。（標規四）

12　議長の議席は最終〇番、副議長の議席は最終〇番とする。（標規四）

（注）一般選挙後最初の会議においては副議長の選挙後に、また、議長又は副議長に欠員が生じた後の当該選挙の後に議長及び副議長が当該議席でないときは、当該議席の議員とそれぞれ議席の変更を行う。

第六節　会　期

13　会期は、あらかじめ議会運営委員会において協議し、議長が会議に諮って決める。（法一〇二、標規五）

14　会期の延長は、会期終了の当日議決する。（法一〇二、標規六）

（注）会期の延長を議決したときは、当日の欠席議員に通知する。

15　会期及び会期の延長は、期間及び日数を議決する。（法一〇二、標規五、六）

第七節　議会の開閉

16　議会の開閉は、議長が宣告する。ただし、閉会については、議長の宣告がなくても会期の終了により閉会となる。

第八節　会議時間

17　会議時間の変更は、議長が前日の会議において宣告する。ただし、招集日の会議時間の変更は、あらかじめその旨を議員に通知する。

会議時間の延長は、議長が会議中随時宣告することができる。（標規九）

18　会議の開始は、チャイム又はブザーで報じ、開議定刻五分前に予鈴を、開議定刻に本鈴を鳴らす。

会議に出席した議員は、氏名標を立て、会議が終わったときは倒して退場する。（標規四、九）

第九節　休　会

19　休会の議決をするときは、あらかじめ議会運営委員会で協議し、議長が会議に諮って決める。

休会中の休日は、これを休会日数に算入する。（標規一〇）

20　休会を議決したときは、議決時に不在の議員に通知する。（標規一〇）

第二章　議案及び動議

第一節　議案等の提出

21　議員及び委員会提出議案（条例、会議規則、意見書、決議等）は、暦年ごとにそれぞれ発議第〇号、発委第〇号と一連番号を付ける。（法一〇九、一一二、標規一四）

22　町（村）長提出議案及び諮問等は、暦年ごとに、議案第〇号及び諮問第〇号等と、その種別により一連番号を付ける。

（注）番号は議会で付ける場合もある。

参考　議案等の提出は、次の例示による。

1	議員提出議案	発議第〇号
2	委員会提出議案	発委第〇号
3	長提出議案	議案第〇号
4	諮　問	諮問第〇号
5	承認（法第一七九条の専決処分）	承認第〇号
6	認定（決算）	認定第〇号
7	同意（人事案件）	同意第〇号
8	請願（陳情）	請願（陳情）第〇号
9	報告（法第一八〇条の専決処分等）	報告第〇号

（注）(1)　9の報告の（　）内の等とは、議会に報告（提出）を義務付けられたものをいう。

①　継続費繰越計算書及び継続費精算書の報告（令一四五）

②　繰越明許費繰越計算書及び事故繰越計算書の報告（令一四六、一五〇）

③　監査及び検査に関する通知及び報告（法一九九、二三五の二、二四二）

④　土地開発公社等の政令で定める法人の経営状況報告書（法二四三の三）

⑤　健全化判断比率の報告（地方公共団体の財政の健全化に関する法律第三条）

⑥　資金不足比率の報告（地方公共団体の財政の健全化に関する法律第二二条）

⑦　教育に関する事務の管理及び執行の状況の点検及び評価の報告（地方教育行政の組織及び運営に関する法律第二六条）

(2)　（注）の(1)については、諸般の報告で行う場合もある。

23　町（村）長から提出される議案等の写しは、その必要部数を印刷し、議長に送付される。（法一四九）

24　議長は、議案等の写しを議員に配布する。

25　議長は、同一趣旨の意見書案、決議案等が同時に提出されたときは、議会運営委員会において調整する。（標規一四）

第二節　動議の提出

26　事件の撤回を求める動議、審議不要の動議等法令に反する動議は、議長はこれをとりあげることができない。

27　議長の宣告に対する異議は、法律又は会議規則に規定するもの以外は、申し立てできない。（標規一六）

（法一一四、一一八、標規九、一九、三七、五六、八一、八七、八八、一三〇）

第三節　修正案の提出

28　付託議案に対する委員会の報告が修正の場合、又は議員から修正の動議が提出された場合は、それぞれ修正案の写しを議員に配布する。（法一一五の三、標規一七）

第四節　議案等の撤回及び訂正

29　議会が受理した事件を撤回し、又は訂正しようとするときは、議長に対し提出者から文書により請求する。（標規二〇、様式四〇、四一）

30　会議に提出された議案等の誤植訂正をするときは、正誤表を議員に配布する。

第三章　議事日程

第一節　議事日程の作成及び配布

31　議事日程に記載する事件は、おおむね次のとおりとする。（標規二一）

(1)　議席の指定及び変更（標規四）

(2)　会議録署名議員の指名（標規一二七）
(3)　会期の決定及び延長（標規五、六）
(4)　諸般の報告
(5)　行政報告
(6)　議長及び副議長の選挙並びに辞職（法一〇三、一〇八、標規九八）
(7)　仮議長の選挙（法一〇六）
(8)　議員の辞職（法一二六、標規九九）
(9)　常任委員の選任、所属変更及び辞任（標委七、一二）
(10)　議会運営委員の選任及び辞任（標委七、一二）
(11)　一般質問（標規六一）
(12)　議案等
(13)　事件の撤回及び訂正（標規二〇）
(14)　委員会報告書が提出された議案等（標規四〇）
(15)　委員会の閉会中の継続審査又は調査（標規七五）
(16)　委員会の審査又は調査の期限（標規四六）
(17)　委員会の中間報告（標規四七）
(18)　特別委員会の設置（法一〇九、標委五）
(19)　特別委員の選任及び辞任（標委七、一二）
(20)　選挙管理委員の罷免（法一八四の二）
(21)　監査委員の罷免（法一九七の二）

32　議事日程は、一議案一日程として作成し、一日ごとに順次番号をつける。（標規二一）

33　一般選挙後の最初の会議においては、臨時議長が議長選挙までの議事日程を作成する。（標規二一）

参考　一般選挙後最初の会議の議事日程は、おおむね次のとおりとする。

(1)　臨時議長が作成する議事日程
①　仮議席の指定（標規四）
②　議長選挙（法一〇三）

(2)　議長が作成する追加議事日程
①　議席の指定（標規四）
②　会議録署名議員の指名（標規一二七）
③　会期の決定（標規五）
④　副議長選挙（法一〇三）
⑤　常任委員の選任（標委七）
⑥　議会運営委員の選任（標委七）
⑦　一部事務組合の議会議員の選挙（法一一八）
⑧　監査委員の選任同意（法一九六）

34　議事日程はおそくとも当日の開議までに議員に配布する。（標規二一）

35　議事が終わらなかったため延会したときは、その事件は、

原則として他の事件に先行して翌日（次の会議日）の議事日程に記載する。（標規二四）

第二節　日程の順序変更及び追加

36　日程の順序変更は、議長の発議又は議員の動議により、討論を用いないで会議に諮って行う。（標規二二）

37　会議を開いた後、新たな事件が提出されたときは、議長の発議により、討論を用いないで会議に諮って日程に追加する。

議員から新たな事件を追加する動議が提出されたときは、討論を用いないで会議に諮って日程に追加する。（標規二二）

38　新たな事件を日程に追加し、その順序を変更して直ちに議題とする必要がある場合は、議長の発議又は議員の動議により、討論を用いないで会議に諮って行う。（標規二二）

39　日程の追加を要する事件が提出され、その日程追加が否決されたときは、議長は、後日の議事日程に記載し、議題とする。

40　日程の追加を要する事件が、会期の最終日に提出され、その日程追加が否決されたときは、その事件は会期の終了により審議未了（廃案）となる。

第四章　選　挙

第一節　選挙の方法

41　選挙の方法は、投票を原則とする。ただし、指名推選によることもできる。（法一一八）

42　投票をもってする選挙（又は表決）は、日を単位として行い、二日間にわたって行うことはできない。この場合は、翌日改めて投票を行う。

43　指名推選の方法により選挙を行うときは、議長発議又は議員の動議により、会議に諮って、異議がなければ、次の方法による。（法一一八）

(1)　議長指名による場合

議長発議又は議員の動議により、議長が指名することを会議に諮って、異議がないときは、議長が指名し、その指名を受けた者を会議に諮って、異議がなければ、その者を当選人とする。

(2)　議員の動議による場合

議員の動議により、指名者を会議に諮って、異議がないときは、指名者が指名し、その指名を受けた者を議長が会議に諮って、異議がなければ、その者を当選人とする。

第二節　投票及び開票

44　投票に当たっては、事務局長（職員）に点呼させる。（標規三〇）

45　議員は、点呼に応じ、議長席に向かって右（左）方から順次登壇して、投票用紙を投票箱に投入し、議席に復する。
議長は、点呼の最後に議長席において投票する。（標規三〇）

46　立会人は、議席順を原則として議長が順次指名する。（標規三一）

第三節　選挙の結果

47　投票の効力に関し異議がある場合は、次の議事に入る前までに申し出る。（法一一八）

48　当選人が議場にいるときの当選告知は、選挙結果の報告後直ちに議長が口頭により行う。（標規三三）

49　議会における選挙により当選した議員は、当選の告知を受けた後、就任のあいさつを行う。この場合、就任のあいさつにより当選を承諾したものとみなす。（標規三三）

50　当選人が議場にいないときの当選の告知は、文書により行い、当選人から当選承諾書の提出を求める。（標規三三）

第五章　議　事

第一節　説　明　員

51　議場における説明員の出席要求は、あらかじめ文書により、議長から町（村）長又は行政委員会の長に対して行う。ただし、緊急の場合は口頭により行う。（法一二一）

52　説明のための議場出席者の範囲は、町（村）長及び行政委員会の長などのほか、原則としてこれらの者から委任又は嘱託を受けた課長職以上の者とし、議長に通知のあった者とする。（法一二一）

第二節　諸般の報告

53　諸般の報告は、法令に定めのあるもののほか、議長が必要と認めるものについて行う。

〔報告事項例示〕

(1)　議員の異動
(2)　閉会中の副議長、議員の辞職許可（標規九八、九九）
(3)　委員長、副委員長の選任及び辞任
(4)　閉会中の委員の選任、所属変更及び辞任（標委七、一一）
(5)　議案等の受理及び撤回（法一四九、標規二〇）
(6)　請願、陳情の受理及び付託前の取下げ
(7)　監査、検査結果（法一九九、二三五の二）
(8)　請願、陳情の処理経過及び結果（法一二五）
(9)　議員派遣結果
(10)　一部事務組合議会に関する事項
(11)　開発公社等に関する事項
(12)　系統議長会関係に関する事項
(13)　慶弔に関する事項

⒁　説明員に関する事項（法一二一）
⒂　その他報告すべき事項
（注）諸般の報告は、開議宣告後議事に入る前に行う。
　なお、必要により議事に入った後に行うこともある。

54　諸般の報告のうち、議長において必要と認めたものについては、事務局長（職員）に朗読させる。

55　法令に基づく報告書等は執行機関において作成し、議員に配布される。

56　町（村）長等の行政報告は、議長の諸般の報告の次に行う。

57　諸般の報告及び行政報告に対する質疑は、原則として行わない。

第三節　議題及び議案等の説明

58　議員又は委員会が提案する議案等のうち、意見書案及び決議案で、内容の明解なものについては、趣旨説明を行わない。（標規三九）

59　決算を議題に供したときは、町（村）長の説明の後、決算審査意見書について、必要に応じ監査委員に説明を求める。（法一四九、二三三）

第四節　除　斥

60　議長は、除斥を必要とする場合は、その事件が議題に供されたときに除斥の宣告を行う。（法一一七）

61　除斥に該当するかどうかについて疑義があるときは、議長は会議に諮って決定する。（法一一七）

62　除斥された議員は、その会議を傍聴することは適当ではない。

第五節　委員会付託

63　議長は、常任委員会に付託する事件で所管の委員会が明確でないものは、議会運営委員会に諮問し、あらかじめ調整のうえその所管を決定する。（標規三九）

64　議長は、議案を委員会に付託するときは、本会議中心主義の場合は議決により付託し、委員会中心主義の場合は議案付託表を配布して付託する。（標規三九）

65　二以上の委員会に関連する議案は、議会運営委員会の協議を経て主たる委員会又は特別委員会に付託する。（標規三九）

第六節　委員会の中間報告

66　委員会は、審査又は調査中の事件について、中間報告をするときは、あらかじめ議長に申し出る。（標規四七）

第七節　委員長報告

67　委員会報告書及び少数意見報告書は、その写しを議員に配布する。（標規七七）

68　常任委員長の報告は、委員会条例第二条に規定する順序に

よる。（標規四一）

69　委員長報告の原稿は、原則として委員長が作成する。（標規四一）

70　副委員長が委員長の職務を行った場合は、委員長は委員長報告を副委員長に行わせることができる。（標規四一）

71　委員長報告の補足発言は、他の発言に優先して許可する。（標規四一）

72　委員長報告及び少数意見報告を省略するときは、委員会で決定し、議長に申し出る。（標規四一）

73　委員長報告の中で、付帯決議・希望意見等の表明があったものについては、必要に応じて、議長の発議又は議員の動議により会議に諮って決定することができる。

第八節　少数意見の報告

74　少数意見の留保があったときは、委員長が委員会報告書に付記して議長に提出する。（標規七六、七七、様式一〇三）

75　委員会において二個以上の少数意見が留保されたときは、議長は少数意見報告書の議長への提出順序によって報告の順序を定めて発言を許可する。（標規四一）

76　少数意見の留保者に事故のあるときは、代理報告は認めない。また、委員長報告の中に少数意見を併せて報告することで、あらかじめ少数意見者の了解を得たときは、会議に諮って少数意見の報告は省略する。（標規四一）

第六章　発　言

第一節　発言及び発言通告

77　執行機関が特に発言しようとするときは、あらかじめ議長に申し出る。（標規五〇）

78　議員の発言は、すべて議長の許可を得た後、登壇して行うのが原則であるが、再質問、質疑及び議事進行に関する発言については、議席で起立して発言することができる。（標規五〇）

79　議事進行に関する発言を求めるときは、「議事進行」と呼称し、議長の許可を得る。（標規五一、五七）

80　議事進行に関する発言は、議長は、直ちに許可するが、他の議員の発言中は、その発言が終わるまで許可しない。（標規五七）

81　質問又は質疑に対して、執行機関が直ちに答弁できないものについては、後刻答弁させることができる。

第二節　一般質問

82　一般質問は、会期の始めに行う。（標規六一）

83　一般質問の通告は、開会日〇日前までに行う。
なお、通告にあたっては、質問の内容を具体的に記載しな

ければならない。（標規六一）

84　一般質問の順序は、原則として通告順による。（標規六一）

85　一般質問に対する関連質問は、許可しない。（標規六一）

86　議長は、一般質問通告一覧表を作成し議員及び関係者に配布する。（標規六一）

87　質問者は原則として原稿を作成し、それによって発言する。

第三節　緊急質問

88　緊急質問をしようとする者は、原則としてあらかじめ文書で議長に申し出る。（標規六二）

89　緊急質問は、議会の同意を得て日程に追加し、順序を変更して行う。（標規二二、六二）

第四節　発言の取消し及び訂正

90　会議における議員の発言について、不穏当（不適当）な言辞があったように思われるときは、議長が「不穏当（不適当）な言辞があったように思われますので、後刻記録を調査の上措置します。」と宣告し、記録を調査の上、不穏当（不適当）であると認めた場合は、その部分は配布用の会議録には掲載しない。なお、当該議員にはこの旨を説明しておくことが望ましい。（標規六四）

91　執行機関の発言の取消し及び訂正については、議員の発言に準じて取扱う。

第七章　質疑・討論及び表決

第一節　質　疑

92　二件以上の事件を一括して議題とした場合でも、質疑の回数は、同一議題として会議規則の定める回数とする。（標規五五）

93　議員は、自己の所属する委員会の委員長報告については、質疑をしない。（標規四三）

94　委員長の報告に対する質疑は、審査の経過と結果に対する疑義にとどめ、付託された議案に対し、提出者に質疑することはできない。（標規四三）

第二節　討　論

95　討論は、おおむね次の順序により行い、修正案に対する討論は、原案に対する討論と併せて、これを行う。（標規五二）

(1)　委員会に付託しない場合

①　修正案のない場合＝原案反対者―原案賛成者

②　修正案のある場合＝原案賛成者―原案及び修正案反対者―原案賛成者―修正案賛成者

(2)　委員会に付託した場合

①　報告が可決の場合＝原案反対者―原案賛成者

②　報告が否決の場合＝原案賛成者―原案反対者

③　報告が修正の場合＝原案賛成者―原案及び修正案反対者―原案賛成者―修正案賛成者

④　委員長報告後修正案のある場合＝原案賛成者―原案及び修正案反対者―原案賛成者―修正案賛成者

⑤　報告が可決で少数意見のある場合＝原案賛成者―少数意見賛成者（原案反対者）

⑥　報告が否決で少数意見のある場合＝原案反対者―少数意見賛成者（原案賛成者）

96　討論においては、冒頭に賛否を明らかにしてから、その理由を述べる。（標規五二）

97　一括議題とした事件に対する討論は、一括して行うことができる。（標規三七）

98　法及び会議規則に規定されているもののほか、次に掲げるものについては、おおむね討論を用いない。

(1)　会期決定の議決（標規五）
(2)　会期延長の議決（標規六）
(3)　休会の議決（標規一〇）
(4)　休会の日の開議の議決（標規一〇）
(5)　事件の撤回又は訂正及び動議の撤回の許可（標規二〇）
(6)　議決事件の字句及び数字等の整理を議長に委任する議決（標規四五）
(7)　委員会の審査又は調査に対して期限を付ける議決（標規四六）
(8)　中間報告を求める議決（標規四七）
(9)　発言取消しの許可（標規六四）
(10)　請願の特別委員会付託の議決（標規九二）
(11)　請願の委員会付託省略の議決（標規九二）
(12)　会議規則の疑義に関する決定（標規一三〇）
(13)　議事進行の動議の議決

（参考）　法及び会議規則に規定されているもの

(1)　秘密会とする議決（法一一五）
(2)　会議時間の変更に異議あるときの決定（標規九）
(3)　先決動議の表決順序に異議あるときの決定（標規一九）
(4)　議事日程の順序変更及び追加の議決（標規二二）
(5)　延会の議決（標規二五）
(6)　一括議題とすることに異議あるときの決定（標規三七）
(7)　議案等の説明省略及び委員会付託の議決（標規三九）
(8)　委員長及び少数意見の報告の省略（標規四一）
(9)　発言時間の制限に異議あるときの決定（標規五六）
(10)　質疑・討論の終結動議の決定（標規五九）
(11)　緊急質問の同意（標規六二）

⑿　表決の順序に異議あるときの決定（標規八八）
⒀　議長及び副議長の辞職許可（標規九八）
⒁　議員の辞職許可（標規九九）
⒂　規律に関する問題の決定（標規一〇九）

第三節　表　決

99　委員長の報告が可決の場合の表決は、委員長報告のとおり決するかを採決し、委員長の報告が否決の場合は原案について採決する。（標規八一）

100　委員長報告が修正の場合又は議員から修正案が提出されたときは、まず修正案を採決した後、修正議決した部分を除く原案について採決する。ただし、修正案が否決されたときは、原案について採決する。（標規八八）

101　数個の修正案が提出されたときの表決の順序は、次のとおりとする。（標規八八）

(1)　議員のみの修正案で共通部分がない場合
　原案に最も遠いものから先に表決をとる。

(2)　議員のみの修正案で共通部分がある場合
　まず、共通部分を表決に付するのが通例である。しかし、共通部分が極めて小部分であるときは、各案ごとに表決に付することもある。

(3)　議員の修正案と委員会の修正案で、共通部分がない場合
　議員の修正案から先に表決をとる。

(4)　議員の修正案と委員会の修正案で、共通部分がある場合
　まず、議員の修正案中、委員会の修正案と共通の部分を除く修正部分について表決に付する。

　次に、議員の修正案と委員会の修正案の共通部分について表決に付する。

　最後に、議員の修正案と委員会の修正案と共通部分を除く委員会の修正案を表決に付する。

102　一括議題とした議案等に対する表決は、一件ごとに採決するのが原則である。ただし、異議がないと認められるときは、一括して採決することができる。（標規三七、八七）

103　全員が、異議がないと認められる軽易な事件の表決は、簡易表決による。（標規八七）

第八章　委員会

104　常任委員の選任にあたっては、あらかじめ議長が議会運営委員会又は全員協議会において調整のうえ会議に諮って指名する。（標委七）

105　議長は、委員長及び副委員長の互選の結果を本会議において報告する。（参照条文　標委八）

106　議長は、常任委員になった後、議会の同意を得て当該常任

委員を辞任することができる。（法一〇九）

107　常任委員の所属変更は、相互の変更を希望する当該委員が議長に申し出、議長が会議に諮って、その所属を変更する。

変更を希望する委員会の委員に欠員があるときは、当該委員の申し出のみによって、議長が会議に諮って、その所属を変更する。（標委七、様式二〇）

108　議長は、特別委員にならないのを原則とする。

109　特別委員会の名称は、審査又は調査若しくは設置の目的を冠して呼称する。（標委五）

110　特別委員の選任は、委員会設置の議決の当日行うのを原則とする。（標委五、七）

111　特別委員会の委員長及び副委員長の互選は、委員会設置の議決の当日行うのを原則とする。（標委五、八）

112　連合審査会を開く旨の議長への通知は、関係委員長の連名で行う。（様式一〇〇）

113　連合審査会の開催通知は、関係委員長の連名で行う。（標規七一）

114　連合審査会の議事は、主たる委員会の委員長が主宰する。（標規七一）

115　連合審査会に付した事件の表決は、主たる委員会において行う。（標規七一）

116　委員会に付託された審査又は調査事件を、閉会中もなお継続して行おうとするときは、委員会から申し出るのが原則であるが、委員会に付託する際に、これを議決することもできる。（標規七五）

なお、特別委員会等にあっては、長期にわたって調査の必要があるときは、調査終了まで閉会中もこれを行う旨の議決をすることもできる。

第九章　請　願（陳　情）

117　議長は、請願の紹介議員にならないのを原則とする。また、当該事項を所管する委員会の委員長についても同様とする。（法一二四）

118　請願者が、請願書を取り下げようとする場合は、取下申出書を議長に提出しなければならない。（標規一二〇、様式四四）

119　受理後の請願は、請願者であっても原則として訂正することができない。

120　委員会付託を省略して本会議で審議する請願について、必要があるときは、紹介議員に説明をさせる。（標規九三）

121　請願を議決したときは、その結果を請願者に通知する。（様式四九）

122　採択すべきものと決定した請願で、執行機関にその処理経

過及び結果の報告を請求するときは、その旨を委員会で決定し、報告書に付記する。（標規九四、様式一〇二）

123　町（村）長等から、請願の処理経過及び結果の報告書が提出されたときは、議長は、次の会議において議員に配布し、報告する。（法一二五、標規九四）

124　議案に関連する請願については、その議案が可決又は否決されたときは、「みなし採択（不採択）」とする。

125　同一会期中において、請願がすでに議決した請願の内容と同一のものについては、「みなし採択」又は「みなし不採択」として取扱う。ただし、必要がある場合は、議決することができる。

126　請願の内容が数項目にわたる場合で、内容が採択できる項目については、その項目をとりあげて、一部採択として採決することができる。

127　閉会中の継続審査に付された請願について、取下げの申し出があったときは、議長は所管の委員長にこの旨を通知し、次の会議において、許可を求める。（標規二〇）

128　陳情書又はこれに類するもので、議長が必要と認めるものは、請願書の例により処理し、請願書の例により処理する必要がないと認めるものについては、議会運営委員会に諮って、その写し、又は、その要旨を印刷し、議員に配布する。（標規九五）

第十章　辞　職

129　議長、副議長及び議員の辞職を許可したときは、次の方法により措置する。（標規九八、九九、様式五六）

(1)　議長の場合

議事堂に登庁しているときは、直ちに口頭により告げ、欠席しているときは、文書でその旨を本人に通知する。

(2)　副議長の場合

議事堂に登庁しているときは、直ちに口頭により告げ、閉会中又は欠席しているときは、文書でその旨を本人に通知する。

(3)　議員の場合

議員の辞職を許可したときは、直ちに文書でその旨を本人に通知する。

130　議会の許可を得て辞職した議長及び副議長は、その会議においてあいさつをするのを通例とする。

第十一章　会　議　録

131　会議録署名議員は、会期を通じて議席順により議長が指名し、又は、会議日ごとに議席順により議長が指名する。ただ

し、事故あるときは、次の議席にある者を指名する。（標規一二七）

132　会議において議長の職務を行った臨時議長、仮議長及び副議長は、会議録に署名する。（法一二三）

133　会議において発言の取消しが許可されたときは、その発言は、配布（閲覧用を含む）する会議録には記載又は記録しない。ただし、会議録の原本にはそのまま記載又は記録する。（標規六四、一二六）

執行機関等の関連する発言についても、同様である。

134　会議において、議長が取消しを命じた発言でも、会議録の原本にはそのまま記載又は記録する。ただし、配布（閲覧用を含む）する会議録には、その発言は掲載又は記録しない。（法一二九、標規一二六）

135　会議において自ら発言を訂正したとき、又は当該議員から訂正の申し出があって、議長がこれを許可したときは、会議録の原本には、その部分について傍線し、訂正した発言を記載する。（法一二三、標規六四、一二六）

第十二章　議会運営委員会

136　長から議会招集の申入れがあったときは、速やかに議会運営委員会を開き、執行機関から付議事件の概要について報告を求め、所要の協議を行い、諸般の態勢を整える。

137　議長は、議会運営委員会の委員にならないのが適当である。

138　議会運営委員会は、議会運営に関する諸般の協議を目的として、おおむね次に掲げる事項について協議する。

Ⅰ　議会の運営に関する事項

(1)　会期及び会期延長の取扱い
(2)　会期中における会議日程
(3)　議事日程
(4)　議席の決定及び変更
(5)　発言の取扱い（発言順序、発言者、発言時間等）
(6)　議事進行の取扱い
(7)　説明員の出席の取扱い
(8)　議会の施設の取扱い（議員控室、委員会室、傍聴席等）
(9)　議長、副議長の選挙の取扱い
(10)　一般質問の取扱い
(11)　緊急質問の取扱い
(12)　特別委員会設置の取扱い
(13)　委員会の構成の取扱い
(14)　委員会の閉会中の継続審査（又は調査）の取扱い
(15)　議長、副議長及び議員の辞職の取扱い
(16)　休会の取扱い

(17) 議会内の秩序の取扱い
(18) 議案の取扱い
(19) 動議の取扱い（修正動議を含む）
(20) 議員及び委員会提出議案（条例、意見書、決議）の取扱い
(21) 長の不信任決議の取扱い
(22) 議員の資格の取扱い
(23) 請願、陳情の取扱い
(24) 専門的事項に係る調査
(25) 公聴会及び参考人
(26) その他議会運営上必要と認められる事項

Ⅱ 議会の会議規則、委員会に関する条例等に関する事項
(1) 会議規則、委員会条例の制定、改正
(2) 議会事務局、議会図書室設置条例の制定、改正
(3) その他規則、条例等これに類すると認められる事項

Ⅲ 議長の諮問に関する事項
(1) 議長の臨時会の招集請求
(2) 議会の諸規程等の起草及び先例解釈運用等
(3) 傍聴規則の制定、改正
(4) 常任委員会間の所管の調整
(5) 慶弔等
(6) 議員派遣
(7) その他議長が必要と認める事項

139 議会運営委員会で決定された議会の運営等に関する事項等については、あらかじめ議員全員に周知する措置を講ずる。

140 議会運営委員会の協議の結果については、議員はこれを遵守する。

第十三章　参考人

141 参考人の出席を求める場合は、あらかじめ本人の了承を得ておく。

142 請願、陳情等の審査に際し、必要がある場合は、提出者に参考人として説明を求めることができる。

第十四章　全員協議会

143 全員協議会は、議長が主宰する。

144 全員協議会は、議長の許可を得た者が傍聴することができる。ただし、議長は必要があると認めるときは、傍聴人の退場を命じることができる。

145 議長は、職員をして会議の概要、出席議員の氏名等必要な事項を記載した記録を作成させ、これに署名又は記名押印しなければならない。

146　議長は、町（村）長その他必要があると認める者に対し、全員協議会への出席を求めることができる。

147　その他、全員協議会の運営に関して必要な事項は、議長が全員協議会に諮って決定する。

第十五章　慶　弔

148　議員が叙勲され、又は議員として受賞したときは、会議において議長が報告する。

149　議員が逝去したときは、会議において同僚議員が追悼演説を行った後、黙とうを行う。

第十六章　その他

150　議場における議員に対する呼称は、「〇〇議員」の他「〇〇君」又は「〇〇さん」と呼ぶのを例とする。

151　臨時議長の紹介は、事務局長が行う。　（法一〇七）

152　議員は、在職中所定の記章をはい用する。

153　議会選出の一部事務組合等議会議員が組合等議会に出席したときは、その経過及び結果を議長に報告する。

154　開発公社等の理事会に出席した議員は、その経過及び結果を議長に報告する。

155　議員が議会を代表して出席した会議については、その経過及び結果を議長に報告する。

156　議場の本会議以外の使用は、原則としてこれを許可しない。

157　傍聴人受付票は記入後、受付箱に投函させるなど個人情報保護の対策を講じる。

○地方自治法（抄）

昭二二・四・一七
法　六七

最終改正　令四・一二・一六法一〇四

第六章　議会

第一節　組織

〔議会の設置〕

第八十九条　普通地方公共団体に議会を置く。

〔都道府県議会の議員の定数〕

第九十条　都道府県の議会の議員の定数は、条例で定める。

②　前項の規定による議員の定数の変更は、一般選挙の場合でなければ、これを行うことができない。

③　第六条の二第一項の規定による処分により、著しく人口の増加があつた都道府県においては、前項の規定にかかわらず、議員の任期中においても、議員の定数を増加することができる。

④　第六条の二第一項の規定により都道府県の設置をしようとする場合において、その区域の全部が当該新たに設置される都道府県の区域の一部となる都道府県（以下本条において「設置関係都道府県」という。）は、その協議により、あらかじめ、新たに設置される都道府県の議会の議員の定数を定めなければならない。

⑤　前項の規定により新たに設置される都道府県の議会の議員の定数を定めたときは、設置関係都道府県は、直ちに当該定数を告示しなければならない。

⑥　前項の規定により告示された新たに設置される都道府県の議会の議員の定数は、第一項の規定に基づく当該都道府県の条例により定められたものとみなす。

⑦　第四項の協議については、設置関係都道府県の議会の議決を経なければならない。

〔市町村議会の議員の定数〕

第九十一条　市町村の議会の議員の定数は、条例で定める。

②　前項の規定による議員の定数の変更は、一般選挙の場合でなければ、これを行うことができない。

③　第七条第一項又は第三項の規定による処分により、著しく人口の増減があつた市町村においては、前項の規定にかかわらず、議員の任期中においても、議員の定数を増減することができる。

④　前項の規定により議員の任期中にその定数を減少した場合において当該市町村の議会の議員の職に在る者の数がその減少した定数を超えているときは、当該議員の任期中は、その数を以て定数とする。但し、議員に欠員を生じたときは、これに応じて、その定数は、当該定数に至るまで減少するもの

とする。

⑤　第七条第一項又は第三項の規定により市町村の設置を伴う市町村の廃置分合をしようとする場合において、その区域の全部又は一部が当該廃置分合により新たに設置される市町村の区域の全部又は一部となる市町村（以下本条において「設置関係市町村」という。）は、設置関係市町村が二以上のときは設置関係市町村の協議により、設置関係市町村が一のときは当該設置関係市町村の議会の議決を経て、あらかじめ、新たに設置される市町村の議会の議員の定数を定めなければならない。

⑥　前項の規定により新たに設置される市町村の議会の議員の定数を定めたときは、設置関係市町村は、直ちに当該定数を告示しなければならない。

⑦　前項の規定により告示された新たに設置される市町村の議会の議員の定数は、第一項の規定に基づく当該市町村の条例により定められたものとみなす。

⑧　第五項の協議については、設置関係市町村の議会の議決を経なければならない。

〔兼職の禁止〕

第九十二条　普通地方公共団体の議会の議員は、衆議院議員又は参議院議員と兼ねることができない。

②　普通地方公共団体の議会の議員は、地方公共団体の議会の議員並びに常勤の職員及び地方公務員法（昭和二十五年法律第二百六十一号）第二十二条の四第一項に規定する短時間勤務の職を占める職員（以下「短時間勤務職員」という。）と兼ねることができない。

〔議員の兼業禁止〕

第九十二条の二　普通地方公共団体の議会の議員は、当該普通地方公共団体に対し請負（業として行う工事の完成若しくは作業その他の役務の給付又は物件の納入その他の取引で当該普通地方公共団体が対価の支払をすべきものをいう。以下この条、第百四十二条、第百八十条の五第六項及び第二百五十二条の二十八第三項第十二号において同じ。）をする者（各会計年度において支払を受ける当該請負の対価の総額が普通地方公共団体の議会の適正な運営の確保のための環境の整備を図る観点から政令で定める額を超えない者を除く。）及びその支配人又は主として同一の行為をする法人の無限責任社員、取締役、執行役若しくは監査役若しくはこれらに準ずべき者、支配人及び清算人たることができない。

〔任期〕

第九十三条　普通地方公共団体の議会の議員の任期は、四年とする。

②　前項の任期の起算、補欠議員の在任期間及び議員の定数に異動を生じたためあらたに選挙された議員の在任期間につい

ては、公職選挙法第二百五十八条及び第二百六十条の定めるところによる。

〔町村総会〕

第九十四条　町村は、条例で、第八十九条の規定にかかわらず、議会を置かず、選挙権を有する者の総会を設けることができる。

〔町村総会に対する準用〕

第九十五条　前条の規定による町村総会に関しては、町村の議会に関する規定を準用する。

第二節　権限

〔議決事件〕

第九十六条　普通地方公共団体の議会は、次に掲げる事件を議決しなければならない。

一　条例を設け又は改廃すること。

二　予算を定めること。

三　決算を認定すること。

四　法律又はこれに基づく政令に規定するものを除くほか、地方税の賦課徴収又は分担金、使用料、加入金若しくは手数料の徴収に関すること。

五　その種類及び金額について政令で定める基準に従い条例で定める契約を締結すること。

六　条例で定める場合を除くほか、財産を交換し、出資の目的とし、若しくは支払手段として使用し、又は適正な対価なくしてこれを譲渡し、若しくは貸し付けること。

七　不動産を信託すること。

八　前二号に定めるものを除くほか、その種類及び金額について政令で定める基準に従い条例で定める財産の取得又は処分をすること。

九　負担付きの寄附又は贈与を受けること。

十　法律若しくはこれに基づく政令又は条例に特別の定めがある場合を除くほか、権利を放棄すること。

十一　条例で定める重要な公の施設につき条例で定める長期かつ独占的な利用をさせること。

十二　普通地方公共団体がその当事者である審査請求その他の不服申立て、訴えの提起（普通地方公共団体の行政庁の処分又は裁決（行政事件訴訟法第三条第二項に規定する処分又は同条第三項に規定する裁決をいう。以下この号、第百五条の二、第百九十二条及び第百九十九条の三第三項において同じ。）に係る同法第十一条第一項（同法第三十八条第一項（同法第四十三条第二項において準用する場合を含む。）又は同法第四十三条第一項において準用する場合を含む。）の規定による普通地方公共団体を被告とする訴訟（以下この号、第百五条の二、第百九十二条及び第百九十九条の三第三項において「普通地方公共団体を被告とする訴訟」という。）に係るものを除く。）、和解（普通地方公共団体の行政庁の処分又は裁決に係る普通地方公共団体を被告とする訴訟に係るものを除く。）、あつせん、調停及び仲裁に関すること。

十三　法律上その義務に属する損害賠償の額を定めること。

十四　普通地方公共団体の区域内の公共的団体等の活動の総合調整に関すること。

十五　その他法律又はこれに基づく政令（これらに基づく条例を含む。）により議会の権限に属する事項

② 前項に定めるものを除くほか、普通地方公共団体は、条例で普通地方公共団体に関する事件（法定受託事務に係るものにあつては、国の安全に関することその他の事由により議会の議決すべきものとすることが適当でないものとして政令で定めるものを除く。）につき議会の議決すべきものを定めることができる。

〔選挙及び予算の増額修正〕

第九十七条　普通地方公共団体の議会は、法律又はこれに基く政令によりその権限に属する選挙を行わなければならない。

② 議会は、予算について、増額してこれを議決することを妨げない。但し、普通地方公共団体の長の予算の提出の権限を侵すことはできない。

〔検査及び監査の請求〕

第九十八条　普通地方公共団体の議会は、当該普通地方公共団体の事務（自治事務にあつては労働委員会及び収用委員会の権限に属する事務で政令で定めるものを除き、法定受託事務にあつては国の安全を害するおそれがあることその他の事由により議会の検査の対象とすることが適当でないものとして政令で定めるものを除く。）に関する書類及び計算書を検閲し、当該普通地方公共団体の長、教育委員会、選挙管理委員会、人事委員会若しくは公平委員会、公安委員会、労働委員会、農業委員会又は監査委員その他法律に基づく委員会又は委員の報告を請求して、当該事務の管理、議決の執行及び出納を検査することができる。

② 議会は、監査委員に対し、当該普通地方公共団体の事務（自治事務にあつては労働委員会及び収用委員会の権限に属する事務で政令で定めるものを除き、法定受託事務にあつては国の安全を害するおそれがあることその他の事由により本項の監査の対象とすることが適当でないものとして政令で定めるものを除く。）に関する監査を求め、監査の結果に関する報告を請求することができる。この場合における監査の実施については、第百九十九条第二項後段の規定を準用する。

〔意見書の提出〕

第九十九条　普通地方公共団体の議会は、当該普通地方公共団体の公益に関する事件につき意見書を国会又は関係行政庁に

提出することができる。

注　次条中、点線の左側は令和四年六月一七日から起算して三年を超えない範囲内において政令で定める日から、実線の左側は令和四年五月二五日から起算して四年を超えない範囲内において政令で定める日から施行となる。

〔調査権・刊行物の送付・図書室の設置等〕

第百条　普通地方公共団体の議会は、当該普通地方公共団体の事務（自治事務にあつては労働委員会及び収用委員会の権限に属する事務で政令で定めるものを除き、法定受託事務にあつては国の安全を害するおそれがあることその他の事由により議会の調査の対象とすることが適当でないものとして政令で定めるものを除く。次項において同じ。）に関する調査を行うことができる。この場合において、当該調査を行うため特に必要があると認めるときは、選挙人その他の関係人の出頭及び証言並びに記録の提出を請求することができる。

② 民事訴訟に関する法令の規定中証人の訊問に関する規定（尋問に関する規定）（過料、罰金、拘留又は勾引に関する規定を除く。）は、この法律に特別の定めがあるものを除くほか、前項後段の規定により議会が当該普通地方公共団体の事務に関する調査のため選挙人その他の関係人の証言を請求する場合に、これを準用する。ただし、過料、罰金、拘留又は勾引に関する規定（この場合において、民事訴訟法第二百五条第二項中「、最高裁判所規則で」とあるのは「、議会が」と、「最高裁判所規則で定める電子情報処理組織を使用してファイルに記録し、又は当該書面に記載すべき事項に係る電磁的記録を記録した記録媒体を提出する」とあるのは「電磁的方法（電子情報処理組織を使用する方法その他の情報通信の技術を利用する方法をいう。）により提供する」と、同条第三項中「ファイルに記録された事項若しくは同項の記録媒体に記録された」とあるのは「提供された」と読み替えるものとする。）は、この限りでない。

③ 第一項後段の規定により出頭又は記録の提出の請求を受けた選挙人その他の関係人が、正当の理由がないのに、議会に出頭せず若しくは記録を提出しないとき又は証言を拒んだときは、六箇月以下の禁錮（拘禁刑）又は十万円以下の罰金に処する。

④ 議会は、選挙人その他の関係人が公務員たる地位において知り得た事実については、その者から職務上の秘密に属するものである旨の申立（申立て）を受けたときは、当該官公署の承認がなければ、当該事実に関する証言又は記録の提出を請求することができない。この場合において当該官公署が承認を拒むときは、その理由を疏明（疎明）しなければならない。

⑤　議会が前項の規定による疏明（疎明）を理由がないと認めるときは、当該官公署に対し、当該証言又は記録の提出が公の利益を害する旨の声明を要求することができる。
⑥　当該官公署が前項の規定による要求を受けた日から二十日以内に声明をしないときは、選挙人その他の関係人は、証言又は記録の提出をしなければならない。
⑦　第二項において準用する民事訴訟に関する法令の規定により宣誓した選挙人その他の関係人が虚偽の陳述をしたときは、これを三箇月以上五年以下の禁錮（拘禁刑）に処する。
⑧　前項の罪を犯した者が議会において調査が終了した旨の議決がある前に自白したときは、その刑を減軽し又は免除することができる。
⑨　議会は、選挙人その他の関係人が、第三項又は第七項の罪を犯したものと認めるときは、告発しなければならない。但し（ただし）、虚偽の陳述をした選挙人その他の関係人が、議会の調査が終了した旨の議決がある前に自白したときは、告発しないことができる。
⑩　議会が第一項の規定による調査を行うため当該普通地方公共団体の区域内の団体等に対し照会をし又は記録の送付を求めたときは、当該団体等は、その求めに応じなければならない。
⑪　議会は、第一項の規定による調査を行う場合においては、予め（あらかじめ）、予算の定額の範囲内において、当該調査のため要する経費の額を定めて置かなければならない。その額を超えて経費の支出を必要とするときは、更に議決を経なければならない。
⑫　議会は、会議規則の定めるところにより、議案の審査又は議会の運営に関し協議又は調整を行うための場を設けることができる。
⑬　議会は、議案の審査又は当該普通地方公共団体の事務に関する調査のためその他議会において必要があると認めるときは、会議規則の定めるところにより、議員を派遣することができる。
⑭　普通地方公共団体は、条例の定めるところにより、その議会の議員の調査研究その他の活動に資するため必要な経費の一部として、その議会における会派又は議員に対し、政務活動費を交付することができる。この場合において、当該政務活動費の交付の対象、額及び交付の方法並びに当該政務活動費を充てることができる経費の範囲は、条例で定めなければならない。
⑮　前項の政務活動費の交付を受けた会派又は議員は、条例の定めるところにより、当該政務活動費に係る収入及び支出の報告書を議長に提出するものとする。
⑯　議長は、第十四項の政務活動費については、その使途の透

明性の確保に努めるものとする。

⑰ 政府は、都道府県の議会に官報及び政府の刊行物を、市町村の議会に官報及び市町村に特に関係があると認める政府の刊行物を送付しなければならない。

⑱ 都道府県は、当該都道府県の区域内の市町村の議会及び他の都道府県の議会に、公報及び適当と認める刊行物を送付しなければならない。

⑲ 議会は、議員の調査研究に資するため、図書室を附置し前二項の規定により送付を受けた官報、公報及び刊行物を保管して置かなければならない。

⑳ 前項の図書室は、一般にこれを利用させることができる。

〔専門的事項に係る調査〕

第百条の二　普通地方公共団体の議会は、議案の審査又は当該普通地方公共団体の事務に関する調査のために必要な専門的事項に係る調査を学識経験を有する者等にさせることができる。

第三節　招集及び会期

〔招集〕

第百一条　普通地方公共団体の議会は、普通地方公共団体の長がこれを招集する。

② 議長は、議会運営委員会の議決を経て、当該普通地方公共団体の長に対し、会議に付議すべき事件を示して臨時会の招集を請求することができる。

③ 議員の定数の四分の一以上の者は、当該普通地方公共団体の長に対し、会議に付議すべき事件を示して臨時会の招集を請求することができる。

④ 前二項の規定による請求があつたときは、当該普通地方公共団体の長は、請求のあつた日から二十日以内に臨時会を招集しなければならない。

⑤ 第二項の規定による請求のあつた日から二十日以内に当該普通地方公共団体の長が臨時会を招集しないときは、第一項の規定にかかわらず、議長は、臨時会を招集することができる。

⑥ 第三項の規定による請求のあつた日から二十日以内に当該普通地方公共団体の長が臨時会を招集しないときは、第一項の規定にかかわらず、議長は、第三項の規定による請求をした者の申出に基づき、当該申出のあつた日から、都道府県及び市にあつては十日以内、町村にあつては六日以内に臨時会を招集しなければならない。

⑦ 招集は、開会の日前、都道府県及び市にあつては七日、町村にあつては三日までにこれを告示しなければならない。ただし、緊急を要する場合は、この限りでない。

⑧ 前項の規定による招集の告示をした後に当該招集に係る開会の日に会議を開くことが災害その他やむを得ない事由により困難であると認めるときは、当該告示をした者は、当該招集に係る開会の日の変更をすることができる。この場合にお

いては、変更後の開会の日及び変更の理由を告示しなければならない。

〔定例会・臨時会及び会期〕

第百二条　普通地方公共団体の議会は、定例会及び臨時会とする。

② 定例会は、毎年、条例で定める回数これを招集しなければならない。

③ 臨時会は、必要がある場合において、その事件に限りこれを招集する。

④ 臨時会に付議すべき事件は、普通地方公共団体の長があらかじめこれを告示しなければならない。

⑤ 前条第五項又は第六項の場合においては、前項の規定にかかわらず、議長が、同条第二項又は第三項の規定による請求において示された会議に付議すべき事件を臨時会に付議すべき事件として、あらかじめ告示しなければならない。

⑥ 臨時会の開会中に緊急を要する事件があるときは、前三項の規定にかかわらず、直ちにこれを会議に付議することができる。

⑦ 普通地方公共団体の議会の会期及びその延長並びにその開閉に関する事項は、議会がこれを定める。

〔通年の会期〕

第百二条の二　普通地方公共団体の議会は、前条の規定にかかわらず、条例で定めるところにより、定例会及び臨時会とせず、毎年、条例で定める日から翌年の当該日の前日までを会期とすることができる。

② 前項の議会は、第四項の規定により招集しなければならないものとされる場合を除き、前項の条例で定める日の到来をもつて、普通地方公共団体の長が当該日にこれを招集したものとみなす。

③ 第一項の会期中において、議員の任期が満了したとき、議会が解散されたとき又は議員が全てなくなつたときは、同項の規定にかかわらず、その任期満了の日、その解散の日又はその議員が全てなくなつた日をもつて、会期は終了するものとする。

④ 前項の規定により会期が終了した場合には、普通地方公共団体の長は、同項に規定する事由により行われた一般選挙により選出された議員の任期が始まる日から三十日以内に議会を招集しなければならない。この場合においては、その招集の日から同日後の最初の第一項の条例で定める日の前日までを会期とするものとする。

⑤ 第三項の規定は、前項後段に規定する会期について準用する。

⑥ 第一項の議会は、条例で、定期的に会議を開く日（以下「定例日」という。）を定めなければならない。

⑦ 普通地方公共団体の長は、第一項の議会の議長に対し、会議に付議すべき事件を示して定例日以外の日において会議を開くことを請求することができる。この場合において、議長は、当該請求のあつた日から、都道府県及び市にあつては七日以

内、町村にあつては三日以内に会議を開かなければならない。

⑧　第一項の場合における第七十四条第三項、第百二十一条第一項、第二百四十三条の三第二項及び第三項並びに第二百五十二条の三十九第四項の規定の適用については、第七十四条第三項中「二十日以内に議会を招集し、」とあるのは「二十日以内に」と、第百二十一条第一項中「議会の審議」とあるのは「定例日に開かれる会議の審議又は議案の審議」と、第二百四十三条の三第二項及び第三項中「次の議会」とあるのは「次の定例日に開かれる会議」と、第二百五十二条の三十九第四項中「二十日以内に議会を招集し」とあるのは「二十日以内に」とする。

第四節　議長及び副議長

〔議長及び副議長〕

第百三条　普通地方公共団体の議会は、議員の中から議長及び副議長一人を選挙しなければならない。

②　議長及び副議長の任期は、議員の任期による。

〔議長の議事整理権・議会代表権〕

第百四条　普通地方公共団体の議会の議長は、議場の秩序を保持し、議事を整理し、議会の事務を統理し、議会を代表する。

〔議長の委員会への出席〕

第百五条　普通地方公共団体の議会の議長は、委員会に出席し、発言することができる。

〔議長の訴訟の代表〕

第百五条の二　普通地方公共団体の議会又は議長の処分又は裁決に係る普通地方公共団体を被告とする訴訟については、議長が当該普通地方公共団体を代表する。

〔議長の代理及び仮議長〕

第百六条　普通地方公共団体の議会の議長に事故があるとき、又は議長が欠けたときは、副議長が議長の職務を行う。

②　議長及び副議長にともに事故があるときは、仮議長を選挙し、議長の職務を行わせる。

③　議会は、仮議長の選任を議長に委任することができる。

〔臨時議長〕

第百七条　第百三条第一項及び前条第二項の規定による選挙を行う場合において、議長の職務を行う者がないときは、年長の議員が臨時に議長の職務を行う。

〔議長及び副議長の辞職〕

第百八条　普通地方公共団体の議会の議長及び副議長は、議会の許可を得て辞職することができる。但し、副議長は、議会の閉会中においては、議長の許可を得て辞職することができる。

第五節　委員会

〔常任委員会、議会運営委員会及び特別委員会〕

第百九条　普通地方公共団体の議会は、条例で、常任委員会、議会運営委員会及び特別委員会を置くことができる。

② 常任委員会は、その部門に属する当該普通地方公共団体の事務に関する調査を行い、議案、請願等を審査する。

③ 議会運営委員会は、次に掲げる事項に関する調査を行い、議案、請願等を審査する。

一 議会の運営に関する事項

二 議会の会議規則、委員会に関する条例等に関する事項

三 議長の諮問に関する事項

④ 特別委員会は、議会の議決により付議された事件を審査する。

⑤ 第百十五条の二の規定は、委員会について準用する。

⑥ 委員会は、議会の議決すべき事件のうちその部門に属する当該普通地方公共団体の事務に関するものにつき、議会に議案を提出することができる。ただし、予算については、この限りでない。

⑦ 前項の規定による議案の提出は、文書をもつてしなければならない。

⑧ 委員会は、議会の議決により付議された特定の事件については、閉会中も、なお、これを審査することができる。

⑨ 前各項に定めるもののほか、委員の選任その他委員会に関し必要な事項は、条例で定める。

第六節　会議

〔議員の議案提出権〕

第百十二条　普通地方公共団体の議会の議員は、議会の議決すべき事件につき、議会に議案を提出することができる。但し、予算については、この限りでない。

② 前項の規定により議案を提出するに当たつては、議員の定数の十二分の一以上の者の賛成がなければならない。

③ 第一項の規定による議案の提出は、文書を以てこれをしなければならない。

〔定足数〕

第百十三条　普通地方公共団体の議会は、議員の定数の半数以上の議員が出席しなければ、会議を開くことができない。但し、第百十七条の規定による除斥のため半数に達しないとき、同一の事件につき再度招集してもなお半数に達しないとき、又は招集に応じても出席議員が定数を欠き議長において出席を催告してもなお半数に達しないとき若しくは半数に達してもその後半数に達しなくなつたときは、この限りでない。

〔議員の請求による開議〕

第百十四条　普通地方公共団体の議会の議員の定数の半数以上の者から請求があるときは、議長は、その日の会議を開かなければならない。この場合において議長がなお会議を開かないときは、第百六条第一項又は第二項の例による。

② 前項の規定により会議を開いたとき、又は議員中に異議があるときは、議長は、会議の議決によらない限り、その日の会議を閉じ又は中止することができない。

〔議事の公開の原則及び秘密会〕

第百十五条　普通地方公共団体の議会の会議は、これを公開する。但し、議長又は議員三人以上の発議により、出席議員の三分の二以上の多数で議決したときは、秘密会を開くことができる。

②　前項但書の議長又は議員の発議は、討論を行わないでその可否を決しなければならない。

〔公聴会及び参考人〕

第百十五条の二　普通地方公共団体の議会は、会議において、予算その他重要な議案、請願等について公聴会を開き、真に利害関係を有する者又は学識経験を有する者等から意見を聴くことができる。

②　普通地方公共団体の議会は、会議において、当該普通地方公共団体の事務に関する調査又は審査のため必要があると認めるときは、参考人の出頭を求め、その意見を聴くことができる。

〔修正の動議〕

第百十五条の三　普通地方公共団体の議会が議案に対する修正の動議を議題とするに当たつては、議員の定数の十二分の一以上の者の発議によらなければならない。

〔表決〕

第百十六条　この法律に特別の定がある場合を除く外、普通地方公共団体の議会の議事は、出席議員の過半数でこれを決し、可否同数のときは、議長の決するところによる。

②　前項の場合においては、議長は、議員として議決に加わる権利を有しない。

〔議長及び議員の除斥〕

第百十七条　普通地方公共団体の議会の議長及び議員は、自己若しくは父母、祖父母、配偶者、子、孫若しくは兄弟姉妹の一身上に関する事件又は自己若しくはこれらの者の従事する業務に直接の利害関係のある事件については、その議事に参与することができない。但し、議会の同意があつたときは、会議に出席し、発言することができる。

〔投票による選挙・指名推選及び投票の効力の異議〕

第百十八条　法律又はこれに基づく政令により普通地方公共団体の議会において行う選挙については、公職選挙法第四十六条第一項及び第四項、第四十七条、第四十八条、第六十八条第一項並びに普通地方公共団体の議会の議員の選挙に関する第九十五条の規定を準用する。その投票の効力に関し異議があるときは、議会がこれを決定する。

②　議会は、議員中に異議がないときは、前項の選挙につき指名推選の方法を用いることができる。

③　指名推選の方法を用いる場合においては、被指名人を以て当選人と定めるべきかどうかを会議に諮り、議員の全員の同意があつた者を以て当選人とする。

④　一の選挙を以て二人以上を選挙する場合においては、被指名人を区分して前項の規定を適用してはならない。

⑤　第一項の規定による決定に不服がある者は、決定があつた日から二十一日以内に、都道府県にあつては総務大臣、市町村にあつては都道府県知事に審査を申し立て、その裁決に不服がある者は、裁決のあつた日から二十一日以内に裁判所に出訴することができる。

⑥　第一項の規定による決定は、文書を以てし、その理由を附けてこれを本人に交付しなければならない。

〔会期不継続の原則〕

第百十九条　会期中に議決に至らなかつた事件は、後会に継続しない。

〔会議規則〕

第百二十条　普通地方公共団体の議会は、会議規則を設けなければならない。

〔長及び委員長等の出席義務〕

第百二十一条　普通地方公共団体の長、教育委員会の委員長、選挙管理委員会の委員長、人事委員会の委員長又は公平委員会の委員長、公安委員会の委員長、労働委員会の委員、農業委員会の会長及び監査委員その他法律に基づく委員会の代表者又は委員並びにその委任又は嘱託を受けた者は、議会の審議に必要な説明のため議長から出席を求められたときは、議場に出席しなければならない。ただし、出席すべき日時に議場に出席できないことについて正当な理由がある場合において、その旨を議長に届け出たときは、この限りでない。

②　第百二条の二第一項の議会の議長は、前項本文の規定により議場への出席を求めるに当たつては、普通地方公共団体の執行機関の事務に支障を及ぼすことのないよう配慮しなければならない。

〔長の説明書提出〕

第百二十二条　普通地方公共団体の長は、議会に、第二百十一条第二項に規定する予算に関する説明書その他当該普通地方公共団体の事務に関する説明書を提出しなければならない。

〔会議録〕

第百二十三条　議長は、事務局長又は書記長（書記長を置かない町村においては書記）に書面又は電磁的記録（電子的方式、磁気的方式その他人の知覚によつては認識することができない方式で作られる記録であつて、電子計算機による情報処理の用に供されるものをいう。以下同じ。）により会議録を作成させ、並びに会議の次第及び出席議員の氏名を記載させ、又は記録させなければならない。

②　会議録が書面をもつて作成されているときは、議長及び議会において定めた二人以上の議員がこれに署名しなければならない。

③　会議録が電磁的記録をもつて作成されているときは、議長及び議会において定めた二人以上の議員が当該電磁的記録に総務省令で定める署名に代わる措置をとらなければならない。

④　議長は、会議録が書面をもつて作成されているときはその写しを、会議録が電磁的記録をもつて作成されているときは当該電磁的記録に記録された事項を記載した書面又は当該事項を記録した磁気ディスク（これに準ずる方法により一定の事項を確実に記録することができる物を含む。）を添えて会議の結果を普通地方公共団体の長に報告しなければならない。

第七節　請願

〔請願の提出〕

第百二十四条　普通地方公共団体の議会に請願しようとする者は、議員の紹介により請願書を提出しなければならない。

〔採択請願の処置〕

第百二十五条　普通地方公共団体の議会は、その採択した請願で当該普通地方公共団体の長、教育委員会、選挙管理委員会、人事委員会若しくは公平委員会、公安委員会、労働委員会、農業委員会又は監査委員その他法律に基づく委員会又は委員において措置することが適当と認めるものは、これらの者にこれを送付し、かつ、その請願の処理の経過及び結果の報告を請求することができる。

第八節　議員の辞職及び資格の決定

〔辞職〕

第百二十六条　普通地方公共団体の議会の議員は、議会の許可を得て辞職することができる。但し、閉会中においては、議長の許可を得て辞職することができる。

〔失職及び資格決定〕

第百二十七条　普通地方公共団体の議会の議員が被選挙権を有しない者であるとき、又は第九十二条の二（第二百八十七条の二第七項において準用する場合を含む。以下この項において同じ。）の規定に該当するときは、その職を失う。その被選挙権の有無又は九十二条の二の規定に該当するかどうかは、議員が公職選挙法第十一条、第十一条の二若しくは第二百五十二条又は政治資金規正法第二十八条の規定に該当するため被選挙権を有しない場合を除くほか、議会がこれを決定する。この場合においては、出席議員の三分の二以上の多数によりこれを決定しなければならない。

②　前項の場合においては、議員は、第百十七条の規定にかかわらず、その会議に出席して自己の資格に関し弁明することはできるが決定に加わることができない。

③　第百十八条第五項及び第六項の規定は、第一項の場合について準用する。

〔失職の時期〕

第百二十八条　普通地方公共団体の議会の議員は、公職選挙法

第二百二条第一項若しくは第二百六条第一項の規定による異議の申出、同法第二百二条第二項若しくは第二百六条第二項の規定による審査の申立て、同法第二百三条第一項、第二百七条第一項、第二百十条若しくは第二百十一条の訴訟の提起に対する決定、裁決又は判決が確定するまでの間（同法第二百十条第一項の規定による訴訟を提起することができる場合において、当該訴訟が提起されなかつたとき、当該訴訟についての訴えを却下し若しくは訴状を却下する裁判が確定したとき、又は当該訴訟が取り下げられたときは、それぞれ同項に規定する出訴期間が経過するまで、当該裁判が確定するまで又は当該取下げが行われるまでの間）は、その職を失わない。

第九節　紀律

〔議場の秩序維持〕

第百二十九条　普通地方公共団体の議会の会議中この法律又は会議規則に違反しその他議場の秩序を乱す議員があるときは、議長は、これを制止し、又は発言を取り消させ、その命令に従わないときは、その日の会議が終るまで発言を禁止し、又は議場の外に退去させることができる。

② 議長は、議場が騒然として整理することが困難であると認めるときは、その日の会議を閉じ、又は中止することができる。

〔会議の傍聴〕

第百三十条　傍聴人が公然と可否を表明し、又は騒ぎ立てる等会議を妨害するときは、普通地方公共団体の議会の議長は、これを制止し、その命令に従わないときは、これを退場させ、必要がある場合においては、これを当該警察官に引き渡すことができる。

② 傍聴席が騒がしいときは、議長は、すべての傍聴人を退場させることができる。

③ 前二項に定めるものを除くほか、議長は、会議の傍聴に関し必要な規則を設けなければならない。

〔議長の注意の喚起〕

第百三十一条　議場の秩序を乱し又は会議を妨害するものがあるときは、議員は、議長の注意を喚起することができる。

〔品位の保持〕

第百三十二条　普通地方公共団体の議会の会議又は委員会においては、議員は、無礼の言葉を使用し、又は他人の私生活にわたる言論をしてはならない。

〔侮辱に対する処置〕

第百三十三条　普通地方公共団体の議会の会議又は委員会において、侮辱を受けた議員は、これを議会に訴えて処分を求めることができる。

第十節　懲罰

〔懲罰理由〕

第百三十四条　普通地方公共団体の議会は、この法律並びに会議規則及び委員会に関する条例に違反した議員に対し、議決により懲罰を科することができる。

② 懲罰に関し必要な事項は、会議規則中にこれを定めなければならない。

〔懲罰の種類及び除名の手続〕

第百三十五条　懲罰は、左の通りとする。

一　公開の議場における戒告

二　公開の議場における陳謝

三　一定期間の出席停止

四　除名

② 懲罰の動議を議題とするに当つては、議員の定数の八分の一以上の者の発議によらなければならない。

③ 第一項第四号の除名については、当該普通地方公共団体の議会の議員の三分の二以上の者が出席し、その四分の三以上の者の同意がなければならない。

〔除名議員の再当選〕

第百三十六条　普通地方公共団体の議会は、除名された議員で再び当選した議員を拒むことができない。

〔欠席議員の懲罰〕

第百三十七条　普通地方公共団体の議会の議員が正当な理由がなくて招集に応じないため、又は正当な理由がなくて会議に欠席したため、議長が、特に招状を発しても、なお故なく出席しない者は、議長において、議会の議決を経て、これに懲罰を科することができる。

第十一節　議会の事務局及び事務局長、書記長、書記その他の職員

〔事務局の設置及び議会の職員〕

第百三十八条　都道府県の議会に事務局を置く。

② 市町村の議会に条例の定めるところにより、事務局を置くことができる。

③ 事務局に事務局長、書記その他の職員を置く。

④ 事務局を置かない市町村の議会に書記長、書記その他の職員を置く。ただし、町村においては、書記長を置かないことができる。

⑤ 事務局長、書記長、書記その他の職員は、議長がこれを任免する。

⑥ 事務局長、書記長、書記その他の常勤の職員の定数は、条例でこれを定める。ただし、臨時の職については、この限りでない。

⑦ 事務局長及び書記長は、議長の命を受け、書記その他の職員は上司の指揮を受けて、議会に関する事務に従事する。

⑧ 事務局長、書記長、書記その他の職員に関する任用、人事評価、給与、勤務時間その他の勤務条件、分限及び懲戒、服

務、退職管理、研修、福祉及び利益の保護その他身分取扱いに関しては、この法律に定めるものを除くほか、地方公務員法の定めるところによる。

第七章　執行機関

第二節　普通地方公共団体の長

第四款　議会との関係

〔議会の瑕疵ある議決又は選挙に対する長の処置〕

第百七十六条　普通地方公共団体の議会の議決について異議があるときは、当該普通地方公共団体の長は、この法律に特別の定めがあるものを除くほか、その議決の日（条例の制定若しくは改廃又は予算に関する議決については、その送付を受けた日）から十日以内に理由を示してこれを再議に付することができる。

② 前項の規定による議会の議決が再議に付された議決と同じ議決であるときは、その議決は、確定する。

③ 前項の規定による議決のうち条例の制定若しくは改廃又は予算に関するものについては、出席議員の三分の二以上の者の同意がなければならない。

④ 普通地方公共団体の議会の議決又は選挙がその権限を超え又は法令若しくは会議規則に違反すると認めるときは、当該普通地方公共団体の長は、理由を示してこれを再議に付し又は再選挙を行わせなければならない。

⑤ 前項の規定による議会の議決又は選挙がなおその権限を超え又は法令若しくは会議規則に違反すると認めるときは、都道府県知事にあつては総務大臣、市町村長にあつては都道府県知事に対し、当該議決又は選挙があつた日から二十一日以内に、審査を申し立てることができる。

⑥ 前項の規定による申立てがあつた場合において、総務大臣又は都道府県知事は、審査の結果、議会の議決又は選挙がその権限を超え又は法令若しくは会議規則に違反すると認めるときは、当該議決又は選挙を取り消す旨の裁定をすることができる。

⑦ 前項の裁定に不服があるときは、普通地方公共団体の議会又は長は、裁定のあつた日から六十日以内に、裁判所に出訴することができる。

⑧ 前項の訴えのうち第四項の規定による議会の議決又は選挙の取消しを求めるものは、当該議会を被告として提起しなければならない。

〔収入又は支出に関する議決に対する長の処置〕

第百七十七条　普通地方公共団体の議会において次に掲げる経費を削除し又は減額する議決をしたときは、その経費及びこれに伴う収入について、当該普通地方公共団体の長は、理由を示してこれを再議に付さなければならない。

一　法令により負担する経費、法律の規定に基づき当該行政

庁の職権により命ずる経費その他の普通地方公共団体の義務に属する経費

二　非常の災害による応急若しくは復旧の施設のために必要な経費又は感染症予防のために必要な経費

②　前項第一号の場合において、議会の議決がなお同号に掲げる経費を削除し又は減額したときは、当該普通地方公共団体の長は、その経費及びこれに伴う収入を予算に計上してその経費を支出することができる。

③　第一項第二号の場合において、議会の議決がなお同号に掲げる経費を削除し又は減額したときは、当該普通地方公共団体の長は、その議決を不信任の議決とみなすことができる。

〔不信任議決と長の処置〕

第百七十八条　普通地方公共団体の議会において、当該普通地方公共団体の長の不信任の議決をしたときは、直ちに議長からその旨を当該普通地方公共団体の長に通知しなければならない。この場合においては、普通地方公共団体の長は、その通知を受けた日から十日以内に議会を解散することができる。

②　議会において当該普通地方公共団体の長の不信任の議決をした場合において、前項の期間内に議会を解散しないとき、又はその解散後初めて招集された議会において再び不信任の議決があり、議長から当該普通地方公共団体の長に対しその旨の通知があつたときは、普通地方公共団体の長は、同項の期間が経過した日又は議長から通知があつた日においてその職を失う。

③　前二項の規定による不信任の議決については、議員数の三分の二以上の者が出席し、第一項の場合においてはその四分の三以上の者の、前項の場合においてはその過半数の者の同意がなければならない。

〔長の専決処分〕

第百七十九条　普通地方公共団体の議会が成立しないとき、第百十三条ただし書の場合においてなお会議を開くことができないとき、普通地方公共団体の長において議会の議決すべき事件について特に緊急を要するため議会を招集する時間的余裕がないことが明らかであると認めるとき、又は議会において議決すべき事件を議決しないときは、当該普通地方公共団体の長は、その議決すべき事件を処分することができる。ただし、第百六十二条の規定による副知事又は副市町村長の選任の同意及び第二百五十二条の二十の二第四項の規定による第二百五十二条の十九第一項に規定する指定都市の総合区長の選任の同意については、この限りでない。

②　議会の決定すべき事件に関しては、前項の例による。

③　前二項の規定による処置については、普通地方公共団体の長は、次の会議においてこれを議会に報告し、その承認を求めなければならない。

④　前項の場合において、条例の制定若しくは改廃又は予算に関する処置について承認を求める議案が否決されたときは、普通地方公共団体の長は、速やかに、当該処置に関して必要と認める措置を講ずるとともに、その旨を議会に報告しなければならない。

〔議会の委任による専決処分〕

第百八十条　普通地方公共団体の議会の権限に属する軽易な事項で、その議決により特に指定したものは、普通地方公共団体の長において、これを専決処分にすることができる。

②　前項の規定により専決処分をしたときは、普通地方公共団体の長は、これを議会に報告しなければならない。

議事次第書事項索引（五十音順）

（注）　１．大索引項目は通常用いられる議事の呼称に従い原則として五十音順に配列した。
　　　　２．中、小索引項目は大項目の下における議事をおおむね本書編集の順序により配列した。

い

一般選挙後初めての議会における議長選挙終了まで

臨時議長の紹介及びあいさつ………25
開会宣告………26
仮議席の指定………26
議長選挙………26

委員会付託及び省略

議案等の委員会付託………101
議案等の委員会付託及び省略（参考規定を採用した場合）………102
通常の場合………102
議案付託表による場合………102
特別委員会設置及び付託………226
議長発議による場合………226
動議による場合………227
日程にある場合………228
委員会付託の省略………103
議長発議による場合………103
動議による場合………104
再審査又は再調査のための付託……130

委員長報告及び少数意見の報告

委員長報告………106
少数意見の報告………106
委員長及び少数意見の報告の省略…107
議長発議による場合………107
動議による場合………108

委員会の審査又は調査の期限

委員会付託と同時に期限を付ける場合………111
議長発議による場合………111
動議による場合………112
委員会において審査（調査）中の場合………113
議長発議による場合………113
動議による場合………115
審査又は調査期限の延期………117
期限が満了し、会議で審議する場合………119
議長発議による場合………119
動議による場合………120

委員会の中間報告

中間報告を求める場合………123
日程にある場合………123
日程追加の場合………124
議長発議による場合………124
動議による場合………125

委員会から申し出がある場合………127
日程にある場合……………………127
日程追加の場合……………………128
委員会の閉会中の継続審査又は調査
付託事件の継続審査又は調査………132
特定事件の継続調査…………………133
常任委員会の場合…………………133
議会運営委員会の場合……………134
委員の選任、所属変更及び辞任
常任委員の選任………………………230
議会運営委員の選任…………………231
特別委員の選任………………………229
常任委員の所属変更…………………232
双方の申し出による場合…………232
欠員による補充の場合……………232
委員の辞任……………………………234
議長の常任委員の辞任………………234

え

延　会
議会の議決による場合 ………………41
議長発議による場合 ………………41
動議による場合 ……………………42
定足数に達しない場合 ………………43
会議中定足数が欠けた場合 …………43

か

会　期
会期の決定 ……………………………33
会期の延長 ……………………………33
日程にある場合 ……………………33
日程にない場合 ……………………34
議長発議による場合 ……………34
動議による場合 …………………36
会議時間
会議時間の変更 ………………………48
開議時刻の繰上げ又は繰下げ ……48
議長宣告による場合 ……………48
動議による場合 …………………49
会議時間の延長 ……………………50
議長宣告による場合 ……………50
動議による場合 …………………51
開議請求による開議
休会の日に開く場合 …………………56
休憩中に開く場合 ……………………57
散会後に開く場合 ……………………57
開議宣告 ………………………………39
会議録署名議員の指名………………224
監査請求………………………………242
仮議長の選任委任……………………264
解　散
「地方公共団体の議会の解散に関する特例法」に基づく解散　………304
日程にある場合……………………304
日程にない場合……………………308

き

議員派遣………………………………257
行政報告 ………………………………61

議　席

議席の指定……31

再選挙又は補欠選挙により当選した議員の議席の指定……31

議席の変更……32

議会の開閉

開会宣告……38

会期中の閉会……58

閉会宣告……58

休　会

休会の議決……53

議長発議による場合……53

動議による場合……53

休会の日の開議……54

議長宣告による場合……55

議会の議決による場合……55

議長発議による場合……55

動議による場合……55

議　題

議題の宣告……96

一括議題……96

議案等の朗読及び説明

議案等の朗読……98

提出者の説明……98

提出者の説明省略……98

議長発議による場合……99

動議による場合……99

議決事件の字句及び数字等の整理……168

議事又は発言の継続

延会の場合……135

中止又は休憩の場合……135

緊急を要する事件の認定（臨時会）

議長発議による場合……260

動議による場合……261

け

決算認定（委員会に付託の場合）……302

こ

公述人の決定……181

公聴会

公聴会開催の決定……178

議長発議による場合……178

動議による場合……178

日程にある場合……179

公聴会の運営……183

さ

散　会

通常の場合……39

開議請求による場合……39

議場整理困難の場合……41

参考人

参考人招致の決定……185

議長発議による場合……185

動議による場合……185

日程にある場合……186

参考人からの意見聴取……188

再議及び再選挙
特別多数議決を要する再議…………277
長提出議案を修正議決したところ、再議に付された場合…………277
議員（委員会）提出議案の再議…278
過半数議決による再議………………279
条例・予算以外の一般再議………279
長提出議案を修正議決したところ、長が再議に付した場合…279
議員(委員会)提出議案の再議…280
義務経費及び非常の災害に因る経費の再議…………………………281
権限を超え又は法令等に違反した再議又は再選挙……………………282
再議……………………………………282
再選挙…………………………………284

し

諸般の報告 ………………………………60
事件の撤回又は訂正及び動議の撤回
日程にある場合 ………………………66
日程追加の場合 ………………………67
修正案の説明…………………………110
質　疑
議案等に対する質疑…………………100
委員長報告、少数意見の報告及び修正案に対する質疑…………………110
質疑、質問が制限回数を超える場合…143
許可の場合…………………………143
不許可の場合………………………143
質疑の終了……………………………139
議長宣告による場合………………139
動議による場合……………………139
質　問
一般質問………………………………147
緊急質問………………………………147
文書による場合……………………147
口頭による場合……………………148
制止…………………………………149
質疑、質問が制限回数を超える場合…143
許可の場合…………………………143
不許可の場合………………………143
辞　職
議長及び副議長の辞職………………190
（閉会中の副議長の辞職許可については㊟を参照）
議員の辞職……………………………193
（閉会中の辞職許可については㊟を参照）
資格の決定
資格決定の要求………………………195
資格決定の特別委員会付託…………196
議長発議による場合………………196
動議による場合……………………198
委員会条例の規定による自動設置の場合……………………………198
資格決定の会議……………………199
事務検査………………………………239
条例制定又は改廃請求代表者の意見陳述………………………………………236
意見陳述の日時、場所等の決定……236

意見陳述……237

除　斥

除斥の認定に疑いのない場合……265
除斥の認定に疑いのある場合……265
議長発議による場合……265
動議による場合……266
除斥議員の出席発言……268

諮問に対する答申

委員会審査を経ないで答申する場合……299
委員会審査を経て答申する場合……300

せ

先決動議の措置……64

選　挙

投票による場合……76
指名推選による場合……79
議長発議による場合……79
動議による場合……81
得票数が同数となった場合……82
投票数が出席議員数より不足した場合……85
得票数が法定得票数に満たなかった場合……86
当選人が当選を承諾しなかった場合……87
選挙に引き続く場合……87
日程追加の場合……87
代理投票（議長が代理投票を認めた場合）……88
投票の効力に関する異議……89
選挙管理委員及び同補充員の選挙……91
投票による場合……91
指名推選による場合……92
選挙管理委員……92
選挙管理委員補充員……93

選挙管理委員の罷免

提出者の説明……291
罷免に対する質疑……291
罷免の委員会付託……291
常任委員会付託……291
議長発議による場合……292
動議による場合……292
特別委員会付託……293
議長発議による場合……293
動議による場合……294
罷免の会議……294

請　願

請願の委員会付託……169
常任／議会運営委員会に付託の場合……169
請願文書表の場合……169
請願書の写しの場合……169
特別委員会に付託の場合……170
請願の採決……171
委員会付託省略の場合……171
委員長報告が採択の場合……172
委員長報告が不採択の場合……173
請願を採択／不採択とみなす場合……173
紹介議員の紹介の取消し……174

選任同意……273

専決処分の承認……289

専門的知見の活用……258
議長発議による場合……258
動議による場合……258
日程にある場合……259

た

退席の制止……47

ち

中止又は休憩
議長宣告による場合……44
通常の場合……44
会議中定足数が欠けた場合……44
議会の議決による場合……45
議長発議による場合（開議請求による開議の場合に限る）……45
動議による場合……46
議場整理困難の場合……47
懲　罰
懲罰動議……204
日程追加の場合……204
日程にある場合……206
懲罰動議の特別委員会付託……207
議長発議による場合……207
動議による場合……208
委員会条例の規定による自動設置の場合……209
代理弁明の同意……210
懲罰事犯の会議……211
戒告又は陳謝の表決……211
出席停止の表決……213
除名の表決……214
委員長報告による特定の懲罰が否決され、他の種の懲罰を科す場合……216
懲罰を科さない場合……217
欠席議員の懲罰……218
日程にある場合……218
日程にない場合……219
侮辱に対する処置……220
日程にある場合……220
日程にない場合……222
調　査
調査に関する決議……245
証人宣誓……247
声明の要求……250
委員会の調査終了後の取扱い……251
告　発……252
出頭又は記録を提出しない場合の告発……252
虚偽の陳述に対する告発……253
委員会の報告を議決してから告発する場合……253
委員会の報告を議決しないで告発する場合……254
秩　序
言動の制止……269
離席の禁止……269
出席停止期間中出席したときの措置……223

退去……271
傍聴人の制止・退場命令……271
制止……271
退場……272
長の退職同意……275
長の不信任議決……286

と

動　議
日程追加を要しない動議……62
日程追加を要する動議……63
会期延長の動議……36
開議時刻の繰上げ又は繰下げの動議……49
会議時間延長の動議……51
休会の動議……53
休会の日の開議の動議……55
延会の動議……42
中止又は休憩の動議……46
日程の順序変更の動議……71
日程追加の動議……74
選挙の方法に関する動議……81
提出者の説明省略の動議……99
委員会付託省略の動議……104
委員長報告（少数意見の報告）省略の動議……108
委員会の審査（調査）に期限を付ける動議（委員会付託に引き続く場合）……112
同（委員会において審査（調査）中の場合）……115
委員会において審査（調査）期限が満了し会議で審議する場合……120
委員会の中間報告を求める動議……125
再審査（再調査）のための委員会付託の動議……130
質疑終了の動議……139
討論終了の動議……140
秘密会の動議……176
公聴会開催の動議……178
資格決定の特別委員会付託の動議…198
参考人招致の決定の動議……185
懲罰の動議……204
懲罰動議の特別委員会付託の動議…208
委員長報告による特定の懲罰が否決され、他の種の懲罰を科す動議…216
特別委員会設置及び付託の動議……227
告発に関する動議（㊟参照）……256
緊急を要する事件の認定の動議……261
除斥の動議……266
町（村）長の不信任議決……286
討　論
討論がある場合……136
討論がない場合……137
討論の終了……139
議長宣告による場合……139
動議による場合……139

に

日　程

日程の順序変更 ……………………………70

議長発議による場合 …………………70

動議による場合 ………………………71

日程の追加 ……………………………72

議長発議による場合 …………………72

動議による場合 ………………………74

任命/選任した行政委員会委員の罷免同意

公聴会を開いてから議決する場合…296

提出者の説明…………………………296

罷免に対する質疑……………………296

罷免の委員会付託……………………297

罷免の会議……………………………297

公聴会を開かないで議決する場合…297

任命同意……………………………………273

は

発　言

発言内容の制限………………………142

発言時間の制限………………………144

発言時間の制限に対する異議………144

発言時間の制限を超過した場合……145

発言の制止（議事進行の発言）……146

発言の取消し　……………………151,269

自己の発言……………………………151

議長職権による場合…………………269

議員の要求による場合………………270

発言の禁止……………………………270

ひ

表　決

表決問題の宣告………………………153

通常の場合……………………………153

一括採決の場合………………………153

起立表決………………………………153

本会議のみにおいて審議する場合……………………………………153

委員会付託の場合……………………154

委員長報告可決の場合………………154

委員長報告否決の場合………………154

委員長報告修正の場合………………155

起立者の多少の認定が困難な場合…156

議長の宣告に対し異議がある場合…156

投票表決………………………………157

議長宣告による場合…………………157

議員の要求による場合………………157

記名又は無記名の要求がある場合…………………………………157

同時に記名と無記名の要求がある場合……………………………157

記名投票及び無記名投票……………158

簡易表決………………………………161

表決の順序……………………………162

議員提出修正案否決及び可決の場合……………………………………162

議員提出修正案否決、委員会報告修正の場合………………………163

議員提出修正案と委員会修正
案とが一部共通の場合……………………164
議長裁決……………………………………167
秘密会
議長発議による場合………………………175
議員の動議による場合……………………176
指定者以外の退場要求……………………177

参考

新議員の紹介……………………………225

書式例索引（五十音順）

い

委員会の招集（委員長互選のため議長から）……120
委員会の招集通知……121
委員会の招集通知（議長あて）……122
委員会の招集変更通知……123
委員会の招集請求……124
委員外議員の出席要求……129
委員外議員の発言申し出……130
委員会審査（調査）期限の通知……132
委員会審査（調査）期限の延期要求…133
委員会の審査（調査）報告書……139
　一般的な審査報告書……139
　調査報告書……140
　決算関係審査報告書……141
　資格決定関係審査報告書……142
　資格決定書（案）……143
　懲罰関係審査報告書……144
　諮問・答申の審査報告書……145
　選挙管理委員の罷免審査報告書……146
　監査委員の罷免同意審査報告書……147
委員会の所属変更（常任）の申し出…158
委員長、副委員長の辞任……159
委員の修正案提出……131
委員の派遣承認の要求……128
意見書……50
一般質問の通告……23

か

会議の結果の報告……107
開議の請求……29
戒告文例……93
解散特例法による解散の通知……103
監査委員に対する請求……49
監査請求に関する決議……48

き

議案の提出（議員）……35
　その１（法第112条による議案）……35
　その２（その１以外の議案）……36
議案の提出（委員会）……37
議員の欠員通知……87
議員の辞職願……84
議員派遣……60
議会の招集の通知……19
議会解散請求に関する弁明……101
議会の決定に対する審査の申し立て（知事あて）……82
議決条例（予算）の送付……104
議決事項の通知（除条例・予算）……105

議事日程 ……25
　一般選挙後の初議会における場合 …25
　上記以外の場合 ……26
議事日程のない開議通知 ……27
議長の辞職願 ……83
議長の臨時会招集請求 ……15
議長の臨時会招集請求に関する議会運営委員会への諮問 ……16
議長の臨時会招集請求に関する議会運営委員会の審査報告書 ……17
休会の日の開議通知（開議請求による場合） ……31
休会の日の開議通知（議長が必要と認める場合） ……28
休会の日の開議請求 ……30
行政委員会委員の罷免同意の通知……115
行政委員会委員の任命/選任同意の通知 …114
記録の提出を求める文書（委員長から議長あて） ……52
記録送付の要求 ……59
記録提出の請求 ……53
記録の提出拒否についての声明の要求 ……55
緊急質問等の申し出 ……24

け

欠席届 ……20
決議 ……50

こ

公聴会開催承認の要求……150
公聴会開催の公示
　……本会議63, 委員会151
公聴会公述人の申し出
　……本会議64, 委員会152
公述人の申し出に関する結果通知（公述人に決定されなかった者に対して）
　……本会議67, 委員会155
公述人決定の通知（公述人に決定した者に対して）
　……本会議65, 委員会153
公述人の本会議出席要請（特定の利害関係者又は学識経験者に対する出席要請書） ……66
公述人の委員会出席要請（特定の利害関係者又は学識経験者に対する出席要請書）……154
公平委員の罷免同意の審査報告書
　……147
告発書 ……56
　正当な理由がないのに出頭（記録の提出）をしない場合 ……56
　証言を拒んだ場合 ……57
　虚偽の陳述をした場合 ……58

さ

参考人の委員会出席要請……156

委員長から議長あて……………………156
議長から参考人あて……………………157
参考人の本会議出席要請（議長から参考人あて）……………………………68

し

資格決定の要求…………………………88
資格決定書の交付………………………89
事件の訂正請求…………………………70
事件の撤回請求…………………………69
辞職許可通知……………………………85
開会中の場合……………………………85
閉会中の場合……………………………86
自主解散に関する決議…………………102
出席催告…………………………………21
執行機関の出席要求……………………32
事務検査に関する決議…………………46
事務検査（関係書類の提出要求）……47
事務調査に関する決議…………………51
所管（所掌）事務調査の通知…………125
招　状……………………………………22
証言拒否についての声明の要求………55
証人の出頭を求める文書（委員長から議長あて）……………………………52
証人出頭の請求…………………………53
諮問に対する答申………………………106
少数意見の報告…………………………149
修正動議の提出…………………………39
法第115条の３による修正動議……39
上記以外の修正動議…………………40
修正案……………………………………41
予算に対するもの……………………41
（参考）…………………………………42
条例に対するもの……………………44
条例制定又は改廃請求代表者への通知…………………………………………45

せ

請願文書表………………………………76
請願紹介議員の委員会出席要求………75
請願の紹介取消し………………………74
請願の取下げ……………………………73
請願審査報告……………………………148
請願の審議結果の通知…………………78
請願の送付及び処理経過並びに結果の報告の請求…………………………77
請願の様式………………………………79
説明員の委員会出席要求………………126
委員長から議長あて…………………126
議長から執行機関あて………………127
選挙管理委員及び同補充員の選挙結果の通知……………………………………109
選挙管理委員の罷免決議………………110
選挙管理委員に対する罷免議決の通知……………………………………………111
本人あて………………………………111
選挙管理委員長あて…………………112
町（村）長あて………………………113
専決事項の指定議案……………………100
宣誓書……………………………………54

専門的知見の活用 ……61

た

代理弁明の申し出 ……92

ち

調査照会 ……59
長の退職同意の通知 ……95
長の退職に関し選挙管理委員会あて通知 ……96
長の不信任決議 ……97
長に対する不信任議決の通知 ……98
　法第178条第１項の規定による場合 ……98
　法第178条第２項の規定による場合 ……99
懲罰の動議 ……91
陳謝文例 ……94

と

動議の撤回請求 ……69
当選の告知 ……33
当選の承諾書 ……33
　選挙管理委員及び同補充員 ……34
特別委員会設置に関する決議 ……119
投票による表決要求 ……72
投票の効力に関する決定書の交付 ……80
投票の効力に関する決定書 ……81

は

発言取消し（訂正）の申し出 ……71

ひ

100条調査に関する決議 ……51
秘密会の発議 ……62

ふ

副議長の辞職願 ……83
侮辱に対する処分要求 ……90
不信任決議 ……97
不信任議決の通知 ……98
　法第178条第１項の規定による場合 ……98
　法第178条第２項の規定による場合 ……99

へ

閉会中の継続審査（調査）の申し出（付託された事件） ……134
閉会中の継続調査の申し出（所管事務・所掌事務） ……135
閉会中の議長による委員の選任 ……161
閉会中の議長による委員の辞任許可 ……162

り

れ

議会書式例

目　　次

本会議関係

様式1-1　議長の臨時会招集請求（法101②）……15
様式1-2　議長の臨時会招集請求に関する議会運営委員会への諮問（法101②関連）……16
様式1-3　議長の臨時会招集請求に関する議会運営委員会の審査報告書（法101②関連）……17
様式2　議員の臨時会招集請求（法101③）……18
様式3　議会の招集の通知（法101関連）……19
様式4　欠　席　届（標規2）……20
様式5　出席催告（法113、標規13）……21
様式6　招　　状（法137関連）……22
様式7　一般質問の通告（標規61②）……23
様式8　緊急質問等の申し出（標規62①）……24
様式9　議事日程（標規21）……25
その1（一般選挙後の初議会における場合）……25
その2（その1以外の場合）……26
様式10　議事日程のない開議通知（標規23①）……27
様式11　休会の日の開議通知（議長が必要と認める場合）

（標規 10 ③） ……28
様式12　開議の請求（法 114 ①） ……29
様式13　休会の日の開議請求（法 114 ①） ……30
様式14　休会の日の開議通知（開議請求による場合）
（法 114 ①） ……31
様式15　執行機関の出席要求（法 121 ①） ……32
様式16　当選の告知（標規 33 ②） ……33
別紙１　当選の承諾書（標規 33 ②関連） ……33
別紙２　当選の承諾書（選挙管理委員及び
同補充員）（標規 33 ②関連） ……34
様式17-1 議案の提出（議員）（法 112、標規 14 ①②） ……35
その１（法第 112 条による議案） ……35
その２（その１以外の議案） ……36
様式17-2 議案の提出（委員会）（法 109 ⑥⑦、標規 14 ③） ……37
その１（法 109 ⑥⑦による議案） ……37
その２（その１以外の議案） ……38
様式18　修正動議の提出（法 115 の３、標規 17 ②） ……39
その１（法第 115 条の３による修正動議） ……39
その２（その１以外の修正動議） ……40
様式19　修 正 案（法 115 の３、標規 17 ②） ……41
その１（予算に対するもの） ……41
（参考） ……42

その２（条例に対するもの）……………………………44
様式20　条例制定又は改廃請求代表者への通知
（法 74 ④、令 98 の２）……………………………………45
様式21　事務検査に関する決議（法 98 ①）……………………46
様式22　事務検査（関係書類の提出要求）（法 98 ①）…………47
様式23　監査請求に関する決議（法 98 ②）……………………48
様式24　監査委員に対する請求（法 98 ②）……………………49
様式25　意見書及び決議 ……………………………………………50
様式26　（別紙）　事務調査に関する決議（法 100 ①）…………51
様式27　証人の出頭 記録の提出を求める文書（委員長から議長あて）
（法 100 ①、標規 72）……………………………………………52
様式28　証人出頭 記録提出の請求（法 100 ①）……………………53
様式29　宣　誓　書（法 100 ②、民事訴訟法 201）……………54
様式30　証　言 記録の提出拒否についての声明の要求（法 100 ⑤）…55
様式31　告　発　書（法 100 ⑨）……………………………………56
その１（正当な理由がないのに出　頭 記録の提出をしない場合）（法 100 ③）……………………………56
その２（証言を拒んだ場合）（法 100 ③）……………………57
その３（虚偽の陳述をした場合）（法 100 ⑦）…………58
様式32　調　査　照　会 記録送付の要求（法 100 ⑩）……………………59
様式33　議員派遣（法 100 ⑬、標規 129）………………………60
様式34　専門的知見の活用（法 100 の２）………………………61

様式35　秘密会の発議（法 115 ①、標規 18）……62

様式36　公聴会開催の公示（法 115 の 2 ①、標規 117 ②）……63

様式37　公聴会公述人の申し出（法 115 の 2 ①、標規 118）……64

様式38-1 公述人決定の通知（公述人に決定した者に対して）（法 115 の 2 ①、標規 119 ①）……65

様式38-2 公述人の本会議出席要請（特定の利害関係者又は学識経験者に対する出席要請書）（法 115 の 2 ①、標規 119 ①）……66

様式38-3 公述人の申し出に関する結果通知（公述人に決定されなかった者に対して）……67

様式39　参考人の本会議出席要請（議長から参考人あて）（法 115 の 2 ②、標規 123 ②）……68

様式40　事件／動議の撤回請求（標規 20）……69

様式41　事件の訂正請求（標規 20）……70

様式42　発言取消し／訂正の申し出（標規 64）……71

様式43　投票による表決要求（標規 82 ①）……72

様式44　請願の取下げ（標規 20）……73

様式45　請願の紹介取消し（標規 90）……74

様式46　請願紹介議員の委員会出席要求（標規 93）……75

様式47　請願文書表（標規 91）……76

様式48　請願の送付及び処理経過並びに結果の報告の請求（法 125、標規 94 ③）……77

様式49　請願の審議結果の通知（標規 94 関連）　……………………78
様式50　請願の様式（法 124、標規 89）　………………………………79
様式51　投票の効力に関する決定書の交付（法 118 ⑥）　………80
様式52　投票の効力に関する決定書（法 118 ①）　…………………81
様式53　議会の決定に対する審査の申し立て（知事あて）
（法 118 ⑤）　…………………………………………………………82
様式54　議長・副議長の辞職願（法 108、標規 98 ①）　…………83
様式55　議員の辞職願（法 126、標規 99 ①）　……………………84
様式56　辞職許可通知（法 126）…………………………………………85
その１（開会中の場合）………………………………………………85
その２（閉会中の場合）………………………………………………86
様式57　議員の欠員通知（公職選挙法 111 ① ３）　………………87
様式58　資格決定の要求（法 127 ①、標規 100）　…………………88
様式59　資格決定書の交付（法 127 ③・118 ⑥）　…………………89
様式60　侮辱に対する処分要求（法 133）　……………………………90
様式61　懲罰の動議（法 135 ②、標規 110 ①）　……………………91
様式62　代理弁明の申し出（標規 112）　………………………………92
様式63　戒告文例（法 135 ① １、標規 113）……………………………93
様式64　陳謝文例（法 135 ① ２、標規 113）……………………………94
様式65　長の退職同意の通知（法 145 関連）…………………………95
様式66　長の退職に関し選挙管理委員会あて通知（公職
選挙法 111 ①）　……………………………………………………96

様式67　長の不信任決議（法 178 ①②、標規 14）……97
様式68　長に対する不信任議決の通知（法 178 ①②）……98
その１（地方自治法第 178 条第１項の規定による場合）……98
その２（地方自治法第 178 条第２項の規定による場合）……99
様式69　専決事項の指定議案（法 180 ①、標規 14）……100
様式70　議会解散請求に関する弁明（令 104 ①）……101
様式71　自主解散に関する決議（地方議会解散特例法）……102
様式72　解散特例法による解散の通知（公職選挙法 111 ①関連）……103
様式73　議決条例／予算の送付（法 16 ①・219 ①）……104
様式74　議決事項の通知（除条例、予算）……105
様式75　諮問に対する答申……106
様式76　会議の結果の報告（法 123 ④）……107
様式77　選挙管理委員及び同補充員の選挙結果の通知……109
様式78　選挙管理委員の罷免決議（法 184 の 2 ①）……110
様式79　選挙管理委員に対する罷免議決の通知（法184 の 2 ①関連）……111
その１（本人あて）……111
その２（選挙管理委員長あて）……112
その３（町(村)長あて）……113

様式80　行政委員会委員の任命/選任同意の通知（副町（村）長、監査委員、公平委員、教育長、教育委員、固定資産評価員、固定資産評価審査委員、農業委員）（法162・196①、地方公務員法9の2②、地方教育行政の組織及び運営に関する法律4①②、地方税法404②・423③、農業委員会等に関する法律8①）……114

様式81　行政委員会委員の罷免同意の通知（監査委員、公平委員、教育長、教育委員、固定資産評価審査委員、農業委員）（法197の2、地方公務員法9の2⑥、地方教育行政の組織及び運営に関する法律7①③、地方税法427、農業委員会等に関する法律11①）……115

委員会関係

様式82　特別委員会設置に関する決議（法109、標委5）……119

様式83　委員会の招集（委員長互選のため議長から）（標委9①）……120

様式84　委員会の招集通知（標委13①）……121

様式85　委員会の招集通知（議長あて）（標規65）……122

様式86　委員会の招集変更通知（議長及び委員あて）

（標委 13 ①関連） ……123
様式87　委員会の招集請求（標委 13 ②） ……124
様式88　所管（所掌）事務調査の通知（標規 73） ……125
様式89　説明員の委員会出席要求（標委 19 関連） ……126
その１（委員長から議長あて） ……126
その２（議長から執行機関あて） ……127
様式90　委員の派遣承認の要求（標規 74） ……128
様式91　委員外議員の出席要求（標規 68 ①） ……129
様式92　委員外議員の発言申し出（標規 68 ②） ……130
様式93　委員の修正案提出（標規 69） ……131
様式94　委員会審査／調査期限の通知（標規 46 ①） ……132
様式95　委員会審査／調査期限の延期要求（標規 46 ②） ……133
様式96　閉会中の継続審査／調査の申し出（付託された事件）（標規75） ……134
様式97　閉会中の継続調査の申し出（所管事務／所掌事務）（標規75） …135
様式98　連合審査会の開会申入れ（標規 71） ……136
様式99　連合審査会の開会同意／不同意（標規 71） ……137
様式100　連合審査会の開会通知（標規 71） ……138
様式101　委員会の審査／調査報告書（標規77） ……139
その１（一般的な審査報告書） ……139
その２（調査報告書） ……140

その3（決算関係審査報告書）……………………141
その4（資格決定関係審査報告書）………………142
別紙（資格決定書（案））…………………………143
その5（懲罰関係審査報告書）……………………144
その6（諮問・答申の審査報告書）………………145
その7（選挙管理委員の罷免審査報告書）………146
その8（監査委員／公平委員の罷免同意審査報告書）…………147
様式102　請願審査報告（標規94①②）…………………148
様式103　少数意見の報告（標規76②）…………………149
様式104　公聴会の委員会での開催承認要求（法115の2①、標委21①）……………………………………………150
様式105　公聴会開催の公示（標委21②）………………151
様式106　公聴会公述人の申し出（法115の2①、標委22）…152
様式107-1　公述人決定の通知（公述人に決定した者に対して）（法115の2①、標委23①）………………………153
様式107-2　公述人の委員会出席要請（特定の利害関係者又は学識経験者に対する出席要請書）（法115の2①、標委23①）……………………………………154
様式107-3　公述人の申し出に関する結果通知（公述人に決定されなかった者に対して）……………………………155
様式108　参考人の委員会出席要請（委員長から議長あて）（法115の2②、標委26の2①②）……………………156

様式109　参考人の委員会出席要請（議長から参考人あて）
（法 115 の 2 ②、標委 26 の 2 ①②）……………………157
様式110　常任委員会の所属変更の申し出（標委 7 ⑥）………158
様式111　委員長、副委員長の辞任（標委 12 ①）…………………159
様式112　委員の辞任（標委 12 ②）………………………………160
様式113　閉会中の議長による委員の選任
（法 109 ⑨、標委 7 ④）……………………………………161
様式114　閉会中の議長による委員の辞任許可（標委 12 ②）…162

本会議関係

様式 1-1. 議長の臨時会招集請求（法101②）

年　月　日

○○町(村)長　　　　　殿

○○町(村)議会議長

○○町(村)議会臨時会招集請求書

次の事件について、○○町(村)議会臨時会を速やかに招集されるよう地方自治法第101条第２項の規定により請求します。

記

会議に付議すべき事件
1　○○○○　について
2　△△△△　について

(注)　1　議長の臨時会招集請求は、議会運営委員会の議決を要するため、議会運営委員会に諮問(様式１－２参照又は口頭)し、異議ない旨の答申(様式１－３参照又は口頭)を受けた後、この様式により長に請求する。
2　臨時会の招集請求の付議事件は、①法令により議会の権限に属する事件であること、②議員に発案権の属する事件であること、③具体的な事件であることの三つの要件を備えていることが必要であると解されている。
また、地方自治法第98条第１項の規定に基づき、長等の報告を求めて臨時会の招集請求を行うことも可能であるとされている。

様式 1−2. 議長の臨時会招集請求に関する議会運営委員会への諮問（法101②関連）

年　　月　　日

議会運営委員長　　　　　　　殿

○○町（村）議会議長

臨時会招集請求の件（諮問）

次の事件について、○○町（村）議会臨時会を招集されるよう地方自治法第101条第２項の規定により町（村）長に請求したいので諮問します。

記

会議に付議すべき事件

1　○○○○　について

2　△△△△　について

様式1–3．議長の臨時会招集請求に関する議会運営委員会の審査報告書（法101②関連）

年　　月　　日

○○町(村)議会議長　　　　　　殿

議会運営委員長

委員会審査報告書

本委員会に諮問された議長の臨時会招集請求の件について、審査の結果、異議ない旨答申すべきものと決定したので、会議規則第77条の規定により報告します。

様式2. 議員の臨時会招集請求（法101③）

年　　月　　日

○○町(村)長　　　　　　殿

○○町(村)議会議員
(議員定数の4分の1以上の者の氏名)

○○町(村)議会臨時会招集請求書

次の事件について、○○町(村)議会臨時会を速やかに招集されるよう地方自治法第101条第3項の規定により請求します。

記

会議に付議すべき事件

1　○○○○　について

2　△△△△　について

(注)　議員からの臨時会招集請求の付議事件は、①法令により議会の権限に属する事件であること、②議員に発案権の属する事件であること、③具体的な事件であることの三つの要件を備えていることが必要であると解されている。
　また、地方自治法第98条第1項の規定に基づき、長等の報告を求めて臨時会の招集請求を行うことも可能であるとされている。

様式３．議会の招集の通知（法101関連）

文　書　番　号
年　　月　　日

○○町（村）議会議員　　　　　　殿

○○町（村）議会議長

令和○年 第○回／○月 ○○町（村）議会 定例会／臨時会 の招集について（通知）

本日、別紙写しのとおり、令和○年 第○回／○月 ○○町（村）議会 定例会／臨時会 を招集する旨告示されたので通知します。

なお、当日は午　○時までに○○町（村）議会議事堂に参集願います。

（注）　１　告示の写しを添付する。
２　この通知は便宜的な措置であり、この通知をしなくても法律上の要件ではないので招集行為に瑕疵はないが、扱いとしては、招集の告示をした旨の連絡を受けて直ちに通知するのが適当である。
３　一般選挙後、最初の議会の招集の通知は、事務局長名で行う。

様式4. 欠　席　届（標規2）

年　　月　　日

○○町（村）議会議長　　　　　殿

○○町（村）議会議員

欠　　　席　　　届

○　　月　　○　　日
○月○日から○月○日までの会議には、次の理由により出席できないので、会議規則第2条の規定により届けます。

理由

様式5. 出 席 催 告（法113、標規13）

文 書 番 号
年　　月　　日

○○町（村）議会議員　　　　　　殿

○○町（村）議会議長

出　席　催　告　書

本日の会議は、午　○時に至っても出席議員が定足数に達せず、会議を開くことができないため、改めて／午　○時○分に出席議員が定足数を欠いたため休憩／中止したが、引き続き午　○時に会議を開くので、開議時刻までに必ず出席されるよう地方自治法第113条及び会議規則第13条の規定により催告します。

（注）文中、上段は出席議員が定足数に達しないとき、下段は会議中定足数を欠いたときの出席催告である。

様式6. 招　　状（法137関連）

文書番号
年　月　日

○○町(村)議会議員　　　　殿

○○町(村)議会議長

招　　状

令和○年 第○回 / ○　月 ○○町(村)議会 定例会 / 臨時会 に正当な理由がなくて 招集に応じない / ○月○日から○月○日までの会議に欠席した ので、出席を求めます。

（注）不応招又は欠席議員に対して招状を発することができる。それでもなお理由なく出席しない者に対しては、議会の議決で懲罰を科すことができる（法137）。

様式7. 一般質問の通告（標規61②）

年　月　日
午　時　分　受領

年　月　日

○○町（村）議会議長　　　　殿

○○町（村）議会議員

一 般 質 問 通 告 書

次のとおり通告します。

質 問 事 項	質 問 の 要 旨	質 問 の 相 手

（注）1　質問の要旨は、具体的に記載すること。
　　　2　質問の相手は、町（村）長、行政委員会の長又は監査委員とする。

様式8. 緊急質問等の申し出（標規62①）

年　月　日
午　時　分　受領

年　月　日

○○町（村）議会議長　　　　殿

○○町（村）議会議員

緊急質問申出書

次のとおり申し出ます。

質問事項	質問の要旨	質問の相手

（注）1　質問の要旨は、具体的に記載すること。
2　質問の相手は、町（村）長、行政委員会の長又は監査委員とする。

様式9. 議 事 日 程（標規21）

その１（一般選挙後の初議会における場合）

令和○年第○回（○月）○○町(村)議会定例会（臨時会）議事日程〔第１号〕

令和○年○月○日（○曜）午　○時開議

第１　仮議席の指定

第２　議長の選挙

（注）１　一般選挙後の初議会の議事日程は、臨時議長が作成することになるが、この場合、臨時議長の職務とされている議長選挙までにとどめる。

２　新議長が決定したら、次の追加議事日程を作成する。

令和○年第○回（○月）○○町(村)議会定例会（臨時会）追加議事日程

〔第１号の追加１〕

令和○年○月○日（○曜）午　○時開議

第１　議席の指定
第２　会議録署名議員の指名
第３　会期の決定
第４　副議長の選挙
第５　常任委員の選任
第６　議会運営委員の選任
第７　一部事務組合議会議員○人の選挙
第８　同意第○号　監査委員の選任同意

（注）追加議事日程の日程番号は、「第１」から記載する。

その２（その１以外の場合）

令和○年$\frac{第○回}{○\quad月}$○○町(村)議会$\frac{定例会}{臨時会}$議事日程〔第○号〕

令和○年○月○日（○曜）午　○時開議

第１　会議録署名議員の指名

第２　会期の決定

第３　議案第○号　件名（町(村)長提出）

第４　発議第○号　件名（○○○○議員ほか○人提出）

第５　議案第○号　件名（○○$\frac{常\quad任}{特\quad別}$委員長報告）

第６　請願第○号　件名

第７　陳情第○号　件名

（注）１　議事日程の号数「第○号」は、定例会、臨時会の別に会議の日ごとに順次号数を付ける。なお、議事が終わらなかったため延会したときは、次回の議事日程は、その号数を新たにする。

２　議事日程は、１議案１日程として記載し、一括議題（関連しているもの等）とする必要がある場合には、会議規則第 37 条により「日程第○及び日程第○を一括議題とします」とすればよい。

３　議事日程は、その日だけのものであるから、議事日程に記載された事件がなんらかの理由で審議されなかったり、審議中途で終わった場合は、次回の議事日程に記載する。このような場合には、原則として次回の議事日程の冒頭に掲げる。

４　日程追加の場合は、日程の最終に追加して、順次日程に従うが、日程の順序を変更して先議する方法もある（標規 22)。

様式10. 議事日程のない開議通知（標規23①）

文　書　番　号
年　　月　　日

○○町(村)議会議員　　　　　殿

○○町(村)議会議長

開　議　通　知　書

○月○日は午　○時に会議を開くので、会議規則第23条第1項の規定により通知します。

様式11. 休会の日の開議通知（標規10③）

（議長が必要と認める場合）

文　書　番　号
年　　月　　日

○○町（村）議会議員　　　　　　殿

○○町（村）議会議長

休会の日の開議通知書

○月○日は休会の日である が、会議規則第10条第3項の規定により当日午
○月○日から○月○日までは休会とすることに議決されているが、会議規則第10条第3項の規定により○月○日午

○時に会議を開くので出席願います。

（注）1　急を要するときは、電話連絡等により通知することも差し支えない。
2　執行機関にも併せて連絡する。

様式12. 開議の請求（法114①）

年　月　日

○○町（村）議会議長　　　　殿

○○町（村）議会議員
（議員定数の半数以上の者の氏名）

開　議　請　求　書

本日の会議は予定の開議時刻／休憩してから相当の時間を経過したが、なお開議されないので、速やかに会議を開かれるよう地方自治法第114条第1項の規定により請求します。

様式 13. 休会の日の開議請求（法114①）

年　月　日

○○町（村）議会議長　　　　殿

○○町（村）議会議員
（議員定数の半数以上の氏名）

休会の日の開議請求書

○月○日は $\frac{\text{休会の日であるが、}}{\text{休会とすることに議決されているが、}}$ 次の理由により会議を開かれるよう地方自治法第 114 条第 1 項の規定により請求します。

記

理由

様式14. 休会の日の開議通知（法114①）
（開議請求による場合）

文書番号
年　月　日

○○町（村）議会議員　　　殿

○○町（村）議会議長

休会の日の開議通知書

○月○日は{休会の日であるが、/休会とすることに議決されているが、}○○○○議員ほか○人から会議を開くよう請求があったため、地方自治法第114条第1項の規定により午　○時に会議を開くので出席願います。

（注）1　急を要するときは、電話連絡等により通知することも差し支えない。
2　執行機関にも併せて連絡する。

様式15. 執行機関の出席要求（法121①）

文　書　番　号
年　　月　　日

（執行機関）　　　　　殿

○○町（村）議会議長

出　席　要　求　書

令和○年$\frac{\text{第○回}}{\text{○　月}}$○○町（村）議会$\frac{\text{定例会}}{\text{臨時会}}$に出席されるよう地方自治法第121条第１項の規定により要求します。

（注）　出席要求は、あらかじめ文書により行うが、緊急の場合は口頭で行う。

様式16. 当選の告知（標規33②）

文　書　番　号
年　　月　　日

（当選人）　　　　殿

○○町（村）議会議長　　　　　印

当　選　告　知　書

令和○年○月○日の会議で行った○○の選挙で、○○に当選されたので告知します。

なお、当選承諾の場合は、別紙の当選承諾書に記名押印して、至急提出願います。

別紙1　当選の承諾書（標規33②関連）

年　　月　　日

○○町（村）議会議長　　　　殿

（当選人）　　　　　㊞

当　選　承　諾　書

令和○年○月○日付第○号（文書番号）で告知を受けました○○の当選を承諾します。

（注）1　当選の告知は、議長、副議長、選挙管理委員、同補充員等について行う。
2　当選人が議場に出席している場合は、口頭で告知する。この場合は、口頭で承諾を受ける（議長・副議長への就任のあいさつを、当選の承諾とする）。

別紙2　当選の承諾書（標規33②関連）
（選挙管理委員及び同補充員）

年　月　日

○○町（村）議会議長　　　　殿

（当選人）　　　　　　㊞

当　選　承　諾　書

令和○年第○回○○町（村）議会 $\frac{\text{定例会}}{\text{臨時会}}$ ○月○日の会議において選挙された、○○町（村）選挙管理委員（補充員）の当選を承諾します。

記

住　　　所	
生　年　月　日	
所属政党その他の政治団体	
公職選挙法第11条該当の有無	有　・　無

様式 17-1. 議案の提出（議員）（法112、標規14①②）

その１（法第112条による議案）

〔発議第○号〕　　　　　　　　　　　　　　年　　月　　日

○○町（村）議会議長　　　　　殿

提出者　○○町（村）議会議員
賛成者　同　　　　　　上
（議員定数の12分の１以上の者の連署）

件　　　　　名

上記の議案を別紙のとおり地方自治法第 112 条及び会議規則第 14 条第 2 項の規定により提出します。

別　紙

（例）　　　　　　　○○○○に関する条例

内　容

（提出の理由）

（注）１　地方自治法112条による議案とは、団体意思決定の議案（条例等）をいう。
２　地方自治法第112条第２項は提出者、賛成者を合わせて議員定数の12分の１以上の連署があれば足りる。
なお、議員定数が12人以下の町村は、提出者１人で足りる。
３　議案の提出権は、議員及び委員会にあるので、議長名で議案を提出することはできない。
４　発議番号は、議長が記入する。
５　議長は、この提出文とともに別紙議案を印刷し、配布する。

その２（その１以外の議案）

〔発議第○号〕

年　　月　　日

○○町(村)議会議長　　　　　　殿

提出者　○○町(村)議会議員
賛成者　同　　　　　　上
(所定数以上の者の連署)

件　　　　　名

上記の議案を、別紙のとおり会議規則第14条第１項及び第２項の規定により提出します。

別　紙

(例)　　　　　　　○○○○に関する意見書

内　容

(提出の理由)

(注)「その１以外の議案」とは、機関意思決定の議案（会議規則、意見書、決議）をいう。

様式17–2. 議案の提出（委員会）（法109⑥⑦、標規14③）

その１（法109⑥⑦による議案）

（発委第○号）

年　月　日

○○町(村)議会議長　　　　殿

提出者

○○委員長

件　　　　名

上記の議案を、別紙のとおり地方自治法第109条第６項及び第７項並びに会議規則第14条第３項の規定により提出します。

（注）１　地方自治法第109条第６項・第７項による議案とは、団体意思決定の議案（条例等）をいう。
２　委員会提出議案は、委員会において議決後、委員長が議長に提出する。
３　委員会提出議案は、それぞれの所管(掌)に属するものにつき、提出することができる。

その２（その１以外の議案）

(発委第○号)

年　月　日

○○町(村)議会議長　　　殿

提出者

○○委員長

件　　　名

上記の議案を、別紙のとおり会議規則第14条第３項の規定

により提出します。

（注）１　「その１以外の議案」とは、機関意思決定の議案（会議規則、意見書、決議等）をいう。

２　委員会提出議案は、委員会において議決後、委員長が議長に提出する。

３　委員会提出議案は、それぞれの所管（掌）に属するものにつき、提出することができる。

様式18. 修正動議の提出（法115の3、標規17②）

その１（法第115条の3による修正動議）

年　月　日

○○町（村）議会議長　　　　殿

発議者　○○町（村）議会議員
（議員定数の12分の１以上の発議者の連署）

議案第○号○○○○に対する修正動議

上記の動議を、地方自治法第115条の3及び会議規則第17条第2項の規定により別紙の修正案を添えて提出します。

別紙（修正案）様式19その１参照

（注）１　団体意思決定の議案に対する修正案は、この様式による。
　　　２　議長は、この提出文とともに別紙修正案を印刷し、配布する。

その２（その１以外の修正動議）

年　月　日

○○町（村）議会議長　　　　　殿

発議者　○○町（村）議会議員
（所定数以上の発議者の連署）

議案第○号○○○○に対する修正動議

上記の動議を、会議規則第17条の規定により別紙の修正案を添えて提出します。

別紙（修正案）様式19その２参照

（注）　機関意思決定の議案（会議規則、意見書、決議）に対する修正案は、この様式による。

様式 19. 修　正　案（法115の3、標規17②）

その１（予算に対するもの）

議案第○号令和○年度○○町（村）一般会計予算に対する修正案

議案第○号令和○年度○○町（村）一般会計予算の一部を次のように修正する。

第１条中「3,423,456 千円」を「3,426,456 千円」に改める。

第１表歳入歳出予算の一部を次のように改める。

（歳入）

款	項	金　額
20　諸　収　入		千円 33,000 ~~30,000~~
	7　雑　入	18,000 ~~15,000~~
歳　入　合　計		3,426,456 ~~3,423,456~~

（歳出）

款	項	金　額
8　土　木　費		千円 527,000 ~~524,000~~
	2　道路橋りよう費	220,000 ~~217,000~~
歳　出　合　計		3,426,456 ~~3,423,456~~

（注）　1　修正案の提出については、修正動議の提出〔様式 18 その 1〕及び次頁の説明書〔(参考)〕を添付する。
　　　　2　修正個所は、原案数字を朱線 2 本で抹消し、そのうえに修正金額を朱書する。

（参考）　令和○年度○○町（村）一般会計予算修正に関する説明書

歳入歳出予算事項別明細書

1　総　　括

（歳　　入）

款	本年度予算額	前年度予算額	比　　較
20 諸 収 入	千円 33,000 ~~30,000~~	千円	千円
歳 入 合 計	3,426,456 ~~3,423,456~~		

（歳　　出）

款	本年度予算額	前年度予算額	比較	本年度予算額の財源内訳			
				特　定　財　源			一般財源
				国（都道府県）支出金	地方債	その他	
8 土木費	千円 527,000 ~~524,000~~	千円	千円	千円 107,800	千円 107,800	千円 4,000	千円 307,400 ~~304,400~~
歳出合計	3,426,456 ~~3,423,456~~			1,012,000	707,000	4,000	1,703,456 ~~1,700,456~~

2　歳　　入

（款）20　諸収入

（項）7　雑入

目	本年度	前年度	比較	節		説明
				区分	金額	
5　雑　入	千円 4,500 ~~1,500~~	千円	千円		千円	千円
				雑入	4,500 ~~1,500~~	
計	13,500 ~~10,500~~					

3　歳　　出

（款）8　土木費

（項）2　道路橋りよう費

目	本年度	前年度	比較	本年度の財源内訳				節		説明
				特定財源			一般財源	区分	金額	
				国(都道府県)支出金	地方債	その他				
	千円	千円	千円	千円	千円	千円	千円		千円	千円
3 道路新設改良費	82,500 ~~79,500~~			1,700		1,800	79,000 ~~76,000~~	14 工事請負費	12,000 ~~9,000~~	○○道路改良費 8,000 ~~5,000~~
計	247,500 ~~244,500~~			5,100		5,400	237,000 ~~234,000~~			

（注）　1　以上は増額の場合の例であるが、減額についても同じである。
　　　　2　この説明書は、前年度予算額及びこれとの比較等計数記入を一部省略してある。
　　　　3　この説明書は、予算修正案〔様式19その1〕に添付する。

その２（条例に対するもの）

（例１）

議案第○号○○条例に対する修正案

議案第○号○○条例の一部を次のとおり修正する。

第○条中「○○」を「△△」に改める。

第○条中「××」を削る。

第○条を次のように改める。

（例２）

議案第○号○○町(村)○○条例の一部を改正する条例に対する修正案

議案第○号○○町(村)○○条例の一部を改正する条例の一部を次のように修正する。

例１による。

（注）１　（例１・２）の修正案の提出については、修正動議の提出〔様式18その１〕を添付する。

２　（例１・２）以外の機関意思決定の議案（会議規則、意見書、決議）の修正案の提出についても（例１・２）に準じて行い、修正動議の提出〔様式18その２〕を添付する。

様式 20. 条例制定又は改廃請求代表者への通知（法74④、令98の2）

文　書　番　号
年　　月　　日

（請求代表者）　　　　　殿

○○町（村）議会議長　　　　印

○○○○に関する意見陳述について（通知）

本議会は、地方自治法第74条第４項の規定に基づき、○○○○に関する件につき、意見陳述の機会を次のとおり設けますので、通知します。

なお、ご出席の際は、当日受付に本状を提出してください。

記

1　意見を述べる事項

2　日　　時　　令和○年○月○日（　）午　　○時

3　場　　所　　○○町（村）議会議事堂（又は委員会室等）

（注）1　請求代表者に通知するとともに、これらの事項は告示し、かつ公衆の見やすいその他の方法により公表する。
2　請求代表者が複数の場合は、意見陳述を述べる者の人数も通知する。
3　陳述時間を設定する場合は、その旨も通知する。
4　意見陳述は、委員会で行う場合もある。

様式21．事務検査に関する決議（法98①）

事務検査に関する決議

地方自治法第98条第1項の規定により、次のとおり事務の検査を行うものとする。

記

1　検査事項

(1)　○○○○に関する事項

(2)　△△△△に関する事項

2　検査方法

(1)　関係書類及び○○の提出（報告書の提出）を求める。

(2)　検査は地方自治法第109条及び委員会条例第5条の規定により委員○人で構成する○○特別委員会を設置し、これに付託して行う。

3　検査権限

本議会は1に掲げる事項の検査を行うため、地方自治法第98条第1項の権限を○○特別委員会に委任する。

4　検査期限

○○特別委員会は1に掲げる検査が終了するまで閉会中もなお検査を行うことができる。

(理由)

(注)　1　会期中に検査が終了する見込みの場合は、4は必要ない。

2　「決議」によらず、文書による「動議」でもよい。

3　検査は、常任委員会に付託して行ってもよい。

4　議長に提出する場合は、議案の提出〔様式17－1その2・様式17－2その2〕による提出文を添付する。

様式22. 事務検査（法98①）
（関係書類の提出要求）

文書番号
年　月　日

（執行機関）　　　　殿

○○町（村）議会議長

事務検査について

令和○年第○回／○月○○町（村）議会定例会／臨時会の○月○日の会議において、次の事項について地方自治法第98条第1項の規定により事務の検査を行うことを議決したので、○月○日までに関係書類及び計算書（並びに報告書）の提出を求めます。

記

1　検査事項

○○○○に関する事項

2　提出書類及び計算書（並びに報告書）

(1)　……………………

(2)　……………………

様式 23. 監査請求に関する決議（法98②）

監査請求に関する決議

地方自治法第 98 条第 2 項の規定により、次のとおり監査委員に対し監査を求め、その結果の報告を請求するものとする。

記

1　監査を求める事項

2　監査結果の報告期限

○年○月○日まで

（理由）

（注）1　議長に提出する場合は、議案の提出〔様式 17−1 その 2〕による提出文を添付する。
2 「監査を求める事項」は、具体的に内容を記載する。
3 「決議」によらず、文書による「動議」でもよい。

様式 24.　監査委員に対する請求（法98②）

文　書　番　号
年　　月　　日

○○町（村）代表監査委員　　　　　　　殿

○○町（村）議会議長

監査及び結果報告の請求について

令和○年第○回／○　月○○町（村）議会定例会／臨時会の○月○日の会議において、次の事項について地方自治法第 98 条第 2 項の規定により監査を求め、その結果について報告を請求することを議決したので、○月○日までに報告されるよう請求します。

記

1　○○○○に関する事項

2　△△△△に関する事項

様式 25. 意見書及び決議

○○○○に関する意見書

○○○○は、……………速やかに実現されるよう強く要望する。

以上、地方自治法第 99 条の規定により意見書を提出する。

年　　月　　日

あて

○○県○○町(村)議会

○○○○に関する決議

○○○○は、………………○○されるよう強く要望する。

以上、決議する。

年　　月　　日

○○町(村)議会

(注)　議長に提出するときは、議案の提出〔様式 17−1 その 2〕による提出文を添付する。

様式26.（別紙）　事務調査に関する決議（法100①）

○○○○の調査に関する決議

地方自治法第100条第1項の規定により、次のとおり○○○○の事務に関する調査を行うものとする。

記

1　調査事項
　(1)　○○○○に関する事項
　(2)　△△△△に関する事項
2　特別委員会の設置
　本調査は、地方自治法第109条及び委員会条例第5条の規定により委員○人で構成する○○調査特別委員会を設置し、これに付託して行う。
3　調査権限
　本議会は、1に掲げる事項の調査を行うため、地方自治法第100条第1項（及び同法第98条第1項）の権限を○○調査特別委員会に委任する。
4　調査期限
　○○調査特別委員会は、1に掲げる調査が終了するまで閉会中もなお調査を行うことができる。
5　調査経費
　本調査に要する経費は、○円以内とする。

（理由）

（注）1　議長に提出する場合は、議案の提出〔様式17−1その2〕による提出文を添付する。
2　地方自治法第100条の調査を行うにあたって、必要がある場合は、同法第98条第1項及び第2項の権限を同時にこの特別委員会に委任して行うことも差し支えない。
3　常任委員会及び議会運営委員会に調査を付託し、権限を委任することもできる。
4　調査経費は、当該年度のみの議決しかできない。
5　「決議」によらず、文書による「動議」でもよい。

様式27. 証人の出頭／記録の提出を求める文書（法100①、標規72）

（委員長から議長あて）

年　　月　　日

○○町（村）議会議長　　　　　　　　殿

○○常任／特別委員長

証人の出頭／記録の提出申出書

当委員会は、○月○日付託された○○の件について調査のため、次のように証人の出頭／記録の提出を求めることを決定したので、会議規則第72条の規定により要求します。

記

（証人）

1　証言を求める事件

2　証人の住所及び氏名

3　証言を求める事項

4　出頭を求める日時及び場所

（記録）

1　提出を求める事件

2　提出を求める選挙人その他の関係人の住所及び氏名

3　提出を求める記録

4　提出期限

様式28. 証人出頭／記録提出の請求（法100①）

文書番号
年　月　日

（選挙人その他の関係人）　　　　殿

○○町（村）議会議長　　　　印

証人出頭／記録提出 請求書

本議会は、○○に関する調査のため、地方自治法第100条第1項の規定により、次により証人としてあなたの出頭／記録の提出を求めることになったので出頭／提出されるよう請求します。

なお、正当な理由がなく出頭せず又は証言を拒む／記録を提出しない場合は、地方自治法第100条第3項の規定により、6ヵ月以下の禁錮又は10万円以下の罰金に処せられることがあるので注意します。

当日は費用を弁償しますので、印鑑をご持参ください。

記

（証人）	（記録）
1　証言を求める事件	1　提出を求める事件
2　証言を求める事項	2　提出を求める記録
3　出頭を求める日時及び場所	3　提出期限

（注）1　費用（交通費）の弁償における印鑑の持参については、それぞれの団体の取扱いによる。
2　「禁錮」については、令和4年6月の刑法等の一部改正により「懲役」とともに廃止し、「拘禁刑」に一元化される。法の施行は公布の日（令和4年6月17日）から3年以内。

様式 29. 宣　誓　書（法100②、民事訴訟法201）

宣　　誓　　書

私は、良心に従って真実を述べ、何事もかくさず、また何事もつけ加えないことを誓います。

年　　月　　日

署名　　　　　㊞

（注）1　委員長は、証人に証言をさせる前に宣誓を求める。
　　　2　署名押印は、宣誓が終わってから行う。

様式30. 証言／記録の提出拒否についての声明の要求

（法100⑤）

文書番号
年　月　日

（官公署の長）　　　　殿

○○町（村）議会議長　　　　印

証言／記録の提出拒否についての声明要求書

本議会は、○月○日付けのあなたの疎明については、理由がないと認めるので、証言／記録の提出が公の利益を害する旨の声明をされるよう地方自治法第100条第5項の規定により要求します。

様式31. 告　発　書（法100⑨）

その１（正当な理由がないのに出頭／記録の提出をしない場合）
（法100③）

文書番号
年　月　日

○○地方検察庁検事正　　　　殿

○○町（村）議会議長　　　　印

告　　発　　書

告発人	住所 ○○町（村）議会議長　　　氏　　名
被告発人	住所 職業 氏名

本議会は、地方自治法第100条第1項の規定により、○○の事務に関する調査のため、被告発人に対して○月○日に／までに当議会に出頭／記録の提出を請求したが、正当な理由がないのに出頭しない／記録を提出しないので、別紙証拠書類を添え地方自治法第100条第9項の規定により告発します。

（添付書類）

1　会議録の写し

2　証人出頭／記録提出請求書写し

3　（その他証拠となる書類）

その2（証言を拒んだ場合）（法100③）

文 書 番 号
年　　月　　日

○○地方検察庁検事正　　　　　殿

○○町（村）議会議長　　　　印

告　　　発　　　書

告発人　住所
○○町（村）議会議長　　　　氏　　　名

被告発人　住所
職業
氏名

本議会は、地方自治法第100条第1項の規定により、○○の事務に関する調査のため、被告発人に対して○月○日に当議会で証言を求めたが、正当な理由がないのに証言を拒んだので、別紙証拠書類を添え、地方自治法第100条第9項の規定により告発します。

（添付書類）

1　会議録の写し

2　（その他証拠となる書類）

その3（虚偽の陳述をした場合）（法100⑦）

文　書　番　号
年　　月　　日

○○地方検察庁検事正　　　　　　殿

○○町（村）議会議長　　　　　　印

告　　　発　　　書

告発人　住所
○○町（村）議会議長　　　　　氏　　　　名

被告発人　住所
職業
氏名

本議会は、地方自治法第100条第1項の規定により、○○の事務に関する調査のため、被告発人に対して○月○日に当議会で証言を求めたが、虚偽の陳述をしたものと認めるので、別紙証拠書類を添え地方自治法第100条第9項の規定により告発します。

（添付書類）

1　会議録の写し

2　（その他証拠となる書類）

様式32. 調　査　照　会／記録送付の要求（法100⑩）

文　書　番　号
年　　月　　日

（団体代表者）　　　　　殿

○○町（村）議会議長　　　　　印

調　査　照　会／記録送付要求 書

本議会は、地方自治法第100条第1項の規定により、○○の事務に関する調査を行うため、貴団体に対し、次について照会をする／記録の送付を求めることになったので、○月○日までに回答／送付されるよう地方自治法第100条第10項の規定により要求します。

記

1　事　　件
2　照　会　事　項／送付を求める記録

様式33. 議員派遣（法100⑬、標規129）

議員派遣の件

令和○年○月○日

本議会は、地方自治法第100条第13項及び会議規則第129条の規定により、次のとおり議員を派遣するものとする。

記

1　件名（研修会・視察名等）
- (1)　目　　的
- (2)　派遣場所
- (3)　期　　間　令和○年○月○日～○月○日の○日間
- (4)　派遣議員

2　件名（研修会・視察名等）
- (1)　目　　的
- (2)　派遣場所
- (3)　期　　間　令和○年○月○日～○月○日の○日間
- (4)　派遣議員

様式34. 専門的知見の活用（法100の2）

○○○○に関する調査を依頼する件

令和○年○月○日

本議会は、地方自治法第100条の２の規定により、次のとおり調査を依頼するものとする。

記

１　調　査　事　項

○○○○に関する事項

２　調　査　期　間

令和○年○月○日～令和○年○月○日（又は令和○年○月○日から○ヵ月）

３　調査を依頼する者

○○○○氏（又は法人の場合はその名称・代表者名）

（注）１　調査の具体的執行を委員会で行う場合は、その旨も併せて議決しておく。

２　調査結果の具体的な報告方法（書面や口頭等）を議決しておくことも考えられる。

３　学識経験者等への実費弁償等や調査経費がかかる場合については、別途議会内で調整しておく必要がある。

様式35. 秘密会の発議（法115①、標規18）

年　月　日

○○町（村）議会議長　　　　殿

○○町（村）議会議員
（議員３人以上の連署）

秘　密　会　発　議　書

議案第○号　○○○○○○○○の件については、秘密会で審議されるよう地方自治法第115条第１項及び会議規則第18条の規定により発議します。

様式36. 公聴会開催の公示（法115の2①、標規117②）

○○町(村)議会公聴会開催について

○○町(村)議会は、次の要領により公聴会を開催するので、意見を述べようとする方は申し出てください。

年　月　日

○○町(村)議会議長　　印

記

1	案　件	
2	日　時	年　月　日　午　○時
3	場　所	○○町(村)議会議事堂
4	申出方法	○○町(村)議会議長あてに公聴会の公述人申出書により住所、氏名、年齢を明記のうえ、意見を述べようとする理由及び問題に対する賛否を申し出てください
5	申出期限	年　月　日
6	公述人の選定及び通知	申し出られた方の中から議会で選定の後通知します。
7	その他	(1) 公述人には、出席当日、費用(交通費)を弁償します。 (2) 公聴会の公述人申出書は、議会事務局に備えつけてあります。 (3) この公聴会についての問い合わせは、○○町(村)議会事務局(電話○○番)までお願いします。

様式37. 公聴会公述人の申し出（法115の2①、標規118）

年　　月　　日

○○町（村）議会議長　　殿

住　所
氏　名　　　　　　㊞
年　齢

公聴会の公述人申出書

○○町（村）議会が開催する公聴会に、次のように意見を述べたいので申し出ます。

記

1　案　件
2　案件に対する賛否　（　賛成　・　反対　）
3　意見を述べようとする理由

（注）案件に対する賛否は、賛成、反対のいずれかに○をつける。

様式38−1．公述人決定の通知（法115の2①、標規119①）
（公述人に決定した者に対して）

文書番号
年　月　日

（公述人）　殿

○○町（村）議会議長　印

公述人決定通知書

○○町（村）議会が開催する次の公聴会に、あなたを公述人として出席願うことに決定しましたので、○○町（村）議会会議規則第119条第１項の規定により通知します。

なお、当日は次のとおり開催を予定していますので、本状を議会事務局の受付に提示してください。また、費用（交通費）を弁償しますので印鑑をご持参ください。

記

１　案　件
２　日　時
３　場　所
４　その他

（注）１　公述人に選定されなかった者にもその旨を通知する。（様式38−３）
２　「２　日時」については、「○月○日（　）時」又は「○月○日○時から○時まで」と記載する。
３　必要に応じて、「４　その他」には、公述人の人数・発言（制限）時間などの連絡事項を記載する。
４　費用（交通費）の弁償における印鑑の持参については、それぞれの団体の取扱いによる。

様式38-2. 公述人の本会議出席要請（法115の2①、標規119①）
（特定の利害関係者又は学識経験者に対する出席要請書）

文　書　番　号
年　　月　　日

（公述人）　　　　殿

○○町(村)議会議長　　　　　印

公述人の本会議出席要請書

○○町(村)議会において開催する次の公聴会で、利害関係／学識経験を有する公述人として、あなたのご意見をお聴きしたいので、ご出席くださるよう○○町(村)議会会議規則第119条第１項の規定によりお願いします。

ついては、都合を同封はがきで折り返しご連絡ください。

なお、ご出席の際は、当日、本状を議会事務局の受付に提示してください。また、費用(交通費)を弁償しますので印鑑をご持参ください。

記

1　案　件

2　日　時

3　場　所

4　その他

（注）　1　「2　日時」については、「○月○日（　）○時」又は「○月○日○時から○時まで」と記載する。

2　必要に応じて、「4　その他」には、公述人の人数・発言(制限)時間などの連絡事項を記載する。

3　費用（交通費）の弁償における印鑑の持参については、それぞれの団体の取扱いによる。

様式38–3. 公述人の申し出に関する結果通知
（公述人に決定されなかった者に対して）

年　　月　　日

殿

○○町（村）議会議長　　　　印

公述人選定結果通知書

お申出いただいた公聴会における公述については、お申出になられた方が多数であったため、厳正なる審査（抽選）を行った結果、あなたは公述人となりませんでした。

なお、公聴会は下記のとおり開催を予定していますので、ご案内いたします。

記

1　案　件

2　日　時

3　場　所

様式39. 参考人の本会議出席要請（法115の2②、標規123②）
（議長から参考人あて）

文　書　番　号
年　　月　　日

（参考人）　　　　殿

○○町（村）議会議長　　　　㊞

参考人の本会議出席要請書

○○町（村）議会において、下記の事項についてあなたのご意見をお聴きしたいので、○○町（村）議会会議規則第123条第2項の規定により、次のとおりご出席くださるようお願いいたします。

なお、ご出席の際は、本状を議会事務局の受付に提示してください。また、費用（交通費）を弁償しますので印鑑をご持参ください。

記

1　日　時

2　場　所

3　意見を求める事項

4　その他

（注）　1「1　日時」については、「○月○日（　）○時」又は「○月○日○時から○時まで」と記載する。
2　必要に応じて、「4　その他」には、参考人の人数・発言（制限）時間などの連絡事項を記載する。
3　費用（交通費）の弁償における印鑑の持参については、それぞれの団体の取扱いによる。

様式40. 事件／動議の撤回請求（標規20）

年　月　日

○○町（村）議会議長　　　　　殿

○○町（村）議会議員
（提出者全員の氏名）

事件／動議撤回請求書

○月○日提出した事件／動議は、次の理由により撤回したいので、会議規則第20条の規定により請求します。

記

件　名
動　議

理由 ＿＿＿＿＿＿＿＿＿＿＿＿＿＿＿＿
＿＿＿＿＿＿＿＿＿＿＿＿＿＿＿＿
＿＿＿＿＿＿＿＿＿＿＿＿＿＿＿＿

（注）1　動議の撤回の場合は、必ずしも文書によらなくてもよいが、後日のため文書によることが適当である。
2　議案の撤回は、発議者全員の同意があれば足り、賛成者の同意は必要としない。
3　会議の議題となる前は、議長の許可で足りる。
4　委員会提出及び町（村）長提出による事件の撤回請求についても、この様式による。

様式41. 事件の訂正請求（標規20）

年　　月　　日

○○町(村)議会議長　　　　　　殿

○○町(村)議会議員
(提出者全員の氏名)

事 件 の 訂 正 請 求 書

○月○日提出した事件は、次の理由により別紙のとおり訂正したいので、会議規則第20条の規定により請求します。

記

件　　名

理由 ＿＿＿＿＿＿＿＿＿＿＿＿＿＿＿＿＿＿＿＿＿＿＿＿＿＿

＿＿＿＿＿＿＿＿＿＿＿＿＿＿＿＿＿＿＿＿＿＿＿＿＿＿

＿＿＿＿＿＿＿＿＿＿＿＿＿＿＿＿＿＿＿＿＿＿＿＿＿＿

別　紙（訂正の内容）

（注） 1　事件の訂正は、会議の議題とした後は議会の、議題となる前は議長の許可を要する。
2　委員会提出及び町(村)長提出による事件の訂正についても、この様式による。

様式42. 発言取消し/訂正の申し出（標規64）

年　月　日

○○町（村）議会議長　　　　　殿

○○町（村）議会議員

発言取消/訂正申出書

○月○日の会議における下記の私の発言は、○○（理由）により、取り消/字句を訂正したいので、議会/議長において許可されるよう会議規則第64条の規定により申し出ます。

記

取り消したい発言	○○○○○○○○○○○○○○○○○
訂正したい発言	「○○○○」を「△△△△」に訂正

（注）運用としては、あらかじめ文書で提出することが適当であるが、口頭でも差し支えない。

様式 43. 投票による表決要求（標規82①）

年　　月　　日

○○町（村）議会議長　　　　　　　殿

○○町（村）議会議員
（出席議員○人以上の氏名）

投票による表決要求書

本日の会議で行う $\frac{\text{議案第○号○○○○}}{\text{○　○　○　○　の　件}}$ の表決は、$\frac{\text{記　名}}{\text{無記名}}$ 投票で行うよう会議規則第 82 条第 1 項の規定により要求します。

（注）　運用としては、あらかじめ文書で提出することが適当であるが、口頭でも差し支えない。

様式44. 請願の取下げ（標規20）

年　　月　　日

○○町（村）議会議長　　　　　殿

請願者　　　　　　　　㊞
（代表者）

請 願 取 下 申 出 書

○月○日提出した請願は、次の理由により取り下げたいので申し出ます。

記

請願件名 ________________________________

理由 ________________________________

____

____

（注）委員会付託前（議会上程前）は、議長の許可、委員会付託後（議会上程後）は、議会の許可を要する。

様式45. 請願の紹介取消し（標規90）

年　月　日

○○町（村）議会議長　　　　　殿

紹　介　議　員
○○町（村）議会議員　　　　　㊞

請願の紹介取消申出書

○月○日提出した請願は、次の理由により紹介を取り消したいので申し出ます。

記

請願件名 ＿＿＿＿＿＿＿＿＿＿＿＿＿＿＿＿＿＿＿＿

理由 ＿＿＿＿＿＿＿＿＿＿＿＿＿＿＿＿＿＿＿＿
＿＿＿＿＿＿＿＿＿＿＿＿＿＿＿＿＿＿＿＿
＿＿＿＿＿＿＿＿＿＿＿＿＿＿＿＿＿＿＿＿

（注）委員会付託前（議会上程前）は、議長の許可、委員会付託後（議会上程後）は、議会の許可を要する。

様式46．請願紹介議員の委員会出席要求（標規93）

年　　月　　日

紹介議員　　　　　　殿

〇〇委員長

出　席　要　求　書

本委員会は、次により紹介議員の説明を求めることになったので、出席されるよう会議規則第93条の規定により要求します。

記

1　請願件名

2　日　　時

3　場　　所

（注）委員会から出席要求されたときは、出席の義務を有する。

様式 47. 請願文書表（標規91）

令和○年<u>第○回</u>○○町（村）議会<u>定例会</u>
　　　　○　月　　　　　　　　　　臨時会

請　願　文　書　表

受理番号	受　理 年月日	件名	請願の要旨	請願者の住所 及び氏名	紹介議員 氏　　名	付　託 委員会

（注）　陳情の場合は、様式中「請願」を「陳情」に代えて作成する。

様式48. 請願の送付及び処理経過並びに結果の報告の請求（法125、標規94③）

文書番号
年　月　日

（執行機関）　　　　殿

○○町（村）議会議長

請願の送付について
請願の送付並びに処理の経過及び結果の報告の請求について

○月○日の会議において採択した請願を別紙のとおり地方自治法第125条の規定により送付します。
送付するので、その処理の経過及び結果を○月○日までに報告されるよう地方自治法第125条の規定により請求します。

別　紙（請願書）

様式49. 請願の審議結果の通知（標規94関連）

文　書　番　号
年　　月　　日

（請願者）　　　　　殿

○○町（村）議会議長　　　　　印

請願の審議結果について（通知）

○月○日付けをもって提出された次の請願は、採　択／不採択と決定したので通知します。

なお、採択したこの請願は、○○○○／執行機関に送付したので申し添えます。

記

件　名

（注）執行機関に送付したものについては、上記のように、その旨を付記することが適当である。

様式50．請願の様式（法124、標規89）

（表　紙）

紹介議員　㊞

○○○○に関する請願書

住　所

氏　　名　㊞

郵便番号・電話番号

（法人名　代表者名　㊞）

（内　容）

件　名　………………………………について

趣　旨　………………………………………

理　由

地方自治法第124条の規定により、上記のとおり請願書を提出します。

年　月　日

○○町（村）議会議長　　殿

（注）1　請願書を議会に提出する場合には邦文を用い、
(1)　請願の件名
(2)　趣旨及び理由は簡潔にすること
(3)　請願者の住所（法人の場合にはその所在地）を記載し、請願者（法人の場合にはその名称を記載し、代表者）が署名又は記名押印すること
(4)　提出年月日を記入し、議長あてとすること
2　請願書には、紹介議員が必ず必要であるが、議員の数には制限がない。

〔陳情書については、法令に別段規定がない。
内容が数件に分かれるときは、別書きとするのがよい。
請願という文字があっても、紹介議員のないものは単なる陳情書の扱いとなる。また、請願の修正はできない。〕

様式51. 投票の効力に関する決定書の交付（法118⑥）

文　書　番　号
年　　月　　日

（異議申立人）　　　　　殿

○○町（村）議会議長　　　　印

投票の効力に関する
決定書交付について

○月○日に行った○○の選挙の投票の効力に関するあなたの異議の申し立てについては、別紙決定書のとおり決定しましたので、地方自治法第118条第6項の規定により交付します。

なお、この決定に不服があるときは、地方自治法第118条第5項の規定により、決定のあった日から21日以内に○○知事に対し、審査の申し立てをすることができますので申し添えます。

別紙（決定書）　様式52

（注）　1　異議申し立ての趣旨のとおり決定したときは、なお書はいらない。
2　投票の効力に関する決定書〔様式52〕を添付する。

様式52．投票の効力に関する決定書（法118①）

投票の効力に関する決定書

異議申立人　○○町（村）議会議員

本議会は、上記の者から異議の申し立てがあった○月○日の会議で行った○○の選挙の投票の効力に関して、次のとおり決定する。

記

1　決　定

異議の申し立てがあった投票は、効力を有する。／有しない。

2　理　由　＿＿＿＿＿＿＿＿＿＿＿＿＿＿＿＿＿＿＿＿

＿＿＿＿＿＿＿＿＿＿＿＿＿＿＿＿＿＿＿＿

＿＿＿＿＿＿＿＿＿＿＿＿＿＿＿＿＿＿＿＿

年　　月　　日

○○町（村）議会　　印

様式53．議会の決定に対する審査の申し立て（知事あて）（法118⑤）

年　月　日

○○知事　　　　殿

（審査の申立人）　住所
○○町（村）議会議員　　　　印

投票の効力の決定に関する審査の申立書

令和○年○月○日付けをもってなされた○○町（村）議会の○○の選挙の投票の効力に関する決定に不服があるので、これを取消し、○○である旨の決定を求める審査を申し立てます。

記

1　審査の申し立てに係る決定
2　審査の申し立てに係る決定があったことを知った年月日
3　審査の申し立ての趣旨及び理由

＿＿＿＿＿＿＿＿＿＿＿＿＿＿＿＿＿＿＿＿

＿＿＿＿＿＿＿＿＿＿＿＿＿＿＿＿＿＿＿＿

＿＿＿＿＿＿＿＿＿＿＿＿＿＿＿＿＿＿＿＿

＿＿＿＿＿＿＿＿＿＿＿＿＿＿＿＿＿＿＿＿

様式54. 議長・副議長の辞職願（法108、標規98①）

年　　月　　日

○○町(村)議会副議長/議　長　　　殿

○○町(村)議会議　長/副議長　　　㊞

辞　　職　　願

このたび、○○により議　長/副議長を辞職したいので許可されるよう願い出ます。

(注)　辞職の意思表示は、会議規則第98条第1項の規定による。

様式55. 議員の辞職願（法126、標規99①）

年　　月　　日

○○町(村)議会議長　　　　　　　殿

○○町(村)議会議員　　　　　　印

辞　　　職　　　願

このたび、○○により議員を辞職したいので許可されるよう願い出ます。

(注)　1　辞職の意思表示は、会議規則第99条第1項の規定による。
　　　2　議長が議員を辞職する場合は、副議長あてとする。
　　　3　議長・副議長がともにいないときは、議員は年長の議員の許可を得て辞職することができる。この場合のあて名は「○○町(村)議会議長殿」とする。
　　　4　特定の日に辞職したいときは、その日を指定することができる。

様式56．辞職許可通知（法126）

その１（開会中の場合）

文書番号
年　月　日

殿

○○町（村）議会議長　　　印

辞職許可について（通知）

令和○年○月○日付けで提出された辞職願は、令和○年○月○日／同日の会議において許可することに決定したので通知します。

その２（閉会中の場合）

文 書 番 号
年 月 日

殿

○○町（村）議会議長 印

辞職許可について（通知）

令和○年○月○日付けで提出された辞職願は、令和○年○月○日許可したので通知します。

（注） 副議長の辞職を閉会中に許可する場合も、この様式による。

様式57．議員の欠員通知（公職選挙法111①3）

文書番号
年　月　日

○○町(村)選挙管理委員会委員長　殿

○○町(村)議会議長

議員欠員通知書

本議会の議員中、次のとおり欠員を生じたので、公職選挙法第111条第1項の規定により通知します。

記

1　住所・氏名

2　欠員を生じた年月日

3　欠員を生じた理由

（注）1　選挙管理委員会に対する通知は、欠員を生じた日から5日以内に行う。

2　選挙管理委員会以外の機関に対する通知の規定はないが、議員共済会に対する負担金納付の関係があるので、長にも通知する。

様式58. 資格決定の要求（法127①、標規100）

年　　月　　日

○○町（村）議会議長　　　　　　殿

○○町（村）議会議員　　　　　　㊞

資 格 決 定 要 求 書

次の議員（の被選挙権の有無／が地方自治法第92条の2の規定に該当するかどうか）について、地方自治法第127条第1項の規定により決定されるよう別紙証拠書類を添え、会議規則第100条の規定により要求します。

記

1　議員の氏名

2　理由（証拠となるべき事実関係）

別紙（証拠書類）

（注）要求の時期は、会期中でなければならない。

様式59．資格決定書の交付（法127③・118⑥）

文　書　番　号
年　　月　　日

（被要求議員）　　　　　殿

〇〇町（村）議会議長　　　　　印

資格決定書交付について

〇月〇日、議員〇〇〇〇君から提出された資格決定要求書に基づくあなたの資格の有無については、別紙資格決定書のとおり決定したので、地方自治法第127条第3項において準用する第118条第6項の規定により交付します。

なお、この決定に不服があるときは、地方自治法第127条第3項において準用する第118条第5項の規定により、決定があった日から21日以内に〇〇知事に審査を申し立てることができるので申し添えます。

（注）「資格決定書」は、様式101 委員会の審査/調査報告のその4（資格決定関係審査報告）の別紙（142頁）による。

様式60. 侮辱に対する処分要求（法133）

年　　月　　日

○○町（村）議会議長　　　　　　殿

○○町（村）議会議員　　　　　印

処　分　要　求　書

○月○日の会議（○○委員会）において、次のとおり侮辱を受けたので、地方自治法第133条の規定により処分を要求します。

記

1　侮辱を与えた者の氏名

2　侮辱を受けた事実又は事情

＿＿＿＿＿＿＿＿＿＿＿＿＿＿＿＿＿＿＿＿

＿＿＿＿＿＿＿＿＿＿＿＿＿＿＿＿＿＿＿＿

様式61．懲罰の動議（法135②、標規110①）

年　　月　　日

○○町（村）議会議長　　　　　　殿

発議者　○○町（村）議会議員
（議員定数の８分の１以上の発議者の連署）

議員○○○○君に対する懲罰動議

次の理由により、議員○○○○君に懲罰を科されたいので地方自治法第135条第２項及び会議規則第110条第１項の規定により動議を提出します。

記

理由

（注）１　動議の内容は、単に「○○○○君に懲罰を科されたい」旨でも、「戒告・陳謝あるいは○日間の出席停止等の懲罰を科されたい」旨でも差し支えない。
２　この動議は、懲罰事犯のあった日から起算して３日以内に提出しなければならない。
３　この動議は、必ず委員会に付託しなければならない。

様式62. 代理弁明の申し出（標規112）

年　　月　　日

○○町（村）議会議長　　　　　殿
○○常任/特別委員長　　　　　殿

○○町（村）議会議員　　　　印

代理弁明申出書

本日/○月○日の会議/○○常任/特別委員会において、○○○○○○のことについて私に代って議員○○○○君が弁明しますので、同意されるよう会議規則第112条の規定により申し出ます。

様式63. 戒告文例（法135①1、標規113）

戒　　　告　　　文

議員○○○○君は、○月○日の会議／○○委員会において、○○○○の件に関する発言中、○○○○の言辞を用い／議事中、不穏当な行動をとり（他の議員に対して不穏当な言辞を用い／行動をとり）、議会の体面／品位を汚した。／失墜させた。このことは、議員の職分にかんがみ、まことに残念である。

したがって、地方自治法第135条第1項第1号の規定により戒告する。

年　　月　　日

○○町(村)議会

（注）　戒告処分は、公開の議場において議長が、この戒告文を朗読して行う。

様式64. 陳 謝 文 例（法135①2、標規113）

陳　　　謝　　　文

私は、○月○日の会　議／○○委員会における○○○○の件に関する発言中、／議事中、不穏当な言辞を用い、／行動をとり、議会の品位を保持し、秩序を守るべき議員の職責に顧みて、まことに申し訳ありません。

ここに深く反省し、誠意を披瀝して陳謝します。

年　　月　　日

○○町(村)議会議員

氏　　　　　名

（注） 陳謝は、懲罰を受けた議員が、この陳謝文を公開の議場において朗読して行う。

様式65. 長の退職同意の通知（法145関連）

文　書　番　号
年　　月　　日

○○町(村)長　　　　　　殿

○○町(村)議会議長　　　　　印

退職申し出の同意について（通知）

令和○年○月○日付けの○月○日をもって退職したいとの、あなたの申し出については、○月○日の会議において同意することに決定したので通知します。

(注)　町(村)長の職務を代理する副町(村)長の退職の場合も同じ様式でよい。(法165関連)

様式66. 長の退職に関し選挙管理委員会あて通知

（公職選挙法111①）

文 書 番 号
年 月 日

○○町（村）選挙管理委員会委員長 殿

○○町（村）議会議長 印

○○町（村）長の退職申し出について（通知）

○○町（村）長○○○○君から、令和○年○月○日付けで○月○日をもって退職したいとの申し出があったので、公職選挙法第111条第1項の規定により通知します。

（注） 1 この通知は、申し出の日から5日以内に行う。
2 退職申し出の日時は、退職の日の要件ではない。

様式67．長の不信任決議（法178①②、標規14）

○○町（村）長の不信任決議

本議会は、○○町（村）長○○○○君を信任しない。

以上、決議する。

年　　月　　日

○○町（村）議会

理由

____

____

____

____

____

____

____

（注）　議長に提出する際は、議案の提出〔様式17－1その2・様式17－2その2〕による提出文を添付する。

様式68. 長に対する不信任議決の通知（法178①②）

その１（地方自治法第178条第1項の規定による場合）

文書番号
年　月　日

○○町(村)長　　　　　殿

○○町(村)議会議長　　　　　印

不信任議決通知書

本議会は、令和○年○月○日の会議において、あなたを信任しないと議決したので、地方自治法第178条第1項の規定により通知します。

(注)　不信任の議決をしたときは、参考までに選挙管理委員会委員長あてに通知する。

その2（地方自治法第178条第2項の規定による場合）

文　書　番　号
年　　月　　日

○○町（村）長　　　　　殿

○○町（村）議会議長　　　　印

不信任議決通知書

本議会は、解散後初めて招集された議会の○月○日の会議において、再び、あなたを信任しないと議決したので、地方自治法第178条第2項の規定により通知します。

（注）様式68その1の（注）による。

様式69. 専決事項の指定議案（法180①、標規14）

専決事項の指定について

○○町（村）議会の権限に属する事項中、次の事項は、地方自治法第180条第1項の規定により、町（村）長の専決処分事項に指定する。

1 ＿＿＿＿＿＿＿＿＿＿＿＿＿＿＿＿＿＿

2 ＿＿＿＿＿＿＿＿＿＿＿＿＿＿＿＿＿＿

3 ＿＿＿＿＿＿＿＿＿＿＿＿＿＿＿＿＿＿

4 ＿＿＿＿＿＿＿＿＿＿＿＿＿＿＿＿＿＿

（注）　議長に提出する際は、議案の提出〔様式17－1その2・様式17－2その2〕による提出文を添付する。

様式70. 議会解散請求に関する弁明（令104①）

文　書　番　号
年　　月　　日

○○町(村)選挙管理委員会委員長　　　　　殿

○○町(村)議会議長

議会解散請求に関する
弁明書の提出について

令和○年○月○日付けで、あなたから請求があった本議会の解散請求に関する弁明書を別紙のとおり提出します。

（別紙）弁　明　書

○○町(村)議会解散請求に関する弁明書

1　弁明の要旨（1,000字以内）

………………………………………………

………………………………………………

2　その他必要な事項

………………………………………………

………………………………………………

上記のとおり弁明する。

様式71. 自主解散に関する決議（地方議会解散特例法）

○○町(村)議会の解散決議

地方公共団体の議会の解散に関する特例法第２条の規定に基づいて、○○町(村)議会を解散する。

以上、決議する。

年　　月　　日

○○町(村)議会

(提出の理由)

＿＿＿＿＿＿＿＿＿＿＿＿＿＿＿＿＿＿＿＿

＿＿＿＿＿＿＿＿＿＿＿＿＿＿＿＿＿＿＿＿

＿＿＿＿＿＿＿＿＿＿＿＿＿＿＿＿＿＿＿＿

＿＿＿＿＿＿＿＿＿＿＿＿＿＿＿＿＿＿＿＿

(注)　議長に提出する際は、議案の提出〔様式17−１その２・様式17−２その２〕による提出文を添付する。

様式72. 解散特例法による解散の通知（公職選挙法111①関連）

文 書 番 号
年　月　日

○○町(村)長　殿
○○町(村)選挙管理委員会委員長　殿

○○町(村)議会事務局長

議会の解散について（通知）

○○町(村)議会は、○月○日の会議において地方公共団体の議会の解散に関する特例法第2条に基づいて解散することを議決したので通知します。

様式73. 議決条例/予算の送付（法16①・219①）

文書番号
年　月　日

○○町(村)長　　　　殿

○○町(村)議会議長

議決条例/予算の送付書

令和○年第○回/○月○○町(村)議会定例会/臨時会において議決した次の条例/予算を、地方自治法第16条第1項/第219条第1項の規定により別冊のように送付します。

記

議案番号	件　　名	議決年月日	議決の結果

（注）　条例の制定又は改廃及び予算の議決をしたときは、その日から3日以内に、議長は町(村)長に送付しなければならない。

様式74. 議決事項の通知
（除条例、予算）

文書番号
年　月　日

○○町（村）長　　　　　殿

○○町（村）議会議長

議決事項の通知について（その○）

令和○年第○回/○　月○○町（村）議会定例会/臨時会において議決した議案を、別紙のとおり送付します。

別　紙

議案番号および件名		議決年月日	議決の結果
議案第○号	○　○　○　○		

（注）条例、予算以外の議案を議決し、必要により通知するときは、この様式による。

様式75. 諮問に対する答申

文　書　番　号
年　　月　　日

○○町(村)長　　　　　　殿

○○町(村)議会議長

○○○○に関する答申

本議会は、○月○日諮問のあった○○○○について、次のとおり答申します。

記

意　　見

様式76. 会議の結果の報告（法123④）

文書番号
年　月　日

○○町（村）長　　　　殿

○○町（村）議会議長

会議の結果の報告

地方自治法第123条第4項の規定により、次のとおり報告します。

記

1　令和○年 第○回／○　月 ○○町（村）議会 定例会／臨時会（請求による臨時会であるときは、その旨併記）

2　開　会　　令和○年○月○日

3　閉　会　　令和○年○月○日

4　会　期　　○日

5　秘密会　　○月○日から○月○日まで
　　　　　　審議事件名

6　公聴会　　委員会名
　　　　　　案　　件

7　その他　（法第98条又は第100条の検査・調査及び不信任議決、懲罰等特異な事件の概要を記入）

8　会議録写　別冊のとおり（作成次第後送）

9　議案書写　別冊のとおり（議案書の写しには、原案可決、修正議決、審議未了等の別を記入し、修正議決したものは、その個所を朱書訂正する）

（議決の結果）

議案番号	件　　名	議決年月日	議決の結果

(注)　会議録を電磁的記録としている場合は、その記録された事項を記載した書面又は当該事項を記録した磁気ディスク(これに準ずる方法により一定の事項を確実に記録することができる物を含む。)を添える。

様式77. 選挙管理委員及び同補充員の選挙結果の通知

文書番号
年　月　日

○○町（村）選挙管理委員会委員長　　　　殿

○○町（村）議会議長　　　　印

選挙管理委員及び同補充員の
選挙結果について（通知）

本議会は、○月○日の会議において選挙管理委員及び同補充員の選挙を行った結果、次の者が当選人と決定したので通知します。

（当選人の氏名）

参考（選挙管理委員については、氏名のほかに住所、所属政党その他の政治団体を記載し、同補充員については、これらのほかに得票数又は順位を記載する。）

様式78.　選挙管理委員の罷免決議（法184の2①）

〇〇町（村）選挙管理委員〇〇〇〇君の罷免決議

本議会は、〇〇町（村）選挙管理委員〇〇〇〇君を罷免する。

以上、決議する。

年　　月　　日

〇〇町（村）議会

理由

____

____

____

____

____

（注）　議長に提出する際は、議案の提出〔様式17－１その２・様式17－２その２〕による提出文を添付する。

様式79. 選挙管理委員に対する罷免議決の通知（法184の2①関連）

その１（本人あて）

文 書 番 号
年　　月　　日

○○町（村）選挙管理委員　　　　　殿

○○町（村）議会議長　　　　　印

選挙管理委員の罷免議決通知書

本議会は、令和○年○月○日の会議において、地方自治法第184条の2第1項の規定に基づき、次の理由によりあなたを罷免することに議決したので、通知します。

記

理由

（注）　罷免の効力発生の時期は、議決の通知が本人に到達した時点である。

その２（選挙管理委員長あて）

文　書　番　号
年　　月　　日

○○町（村）選挙管理委員長　　　　　　殿

○○町（村）議会議長　　　　　印

選挙管理委員の罷免の議決について（通知）

本議会は、令和○年○月○日の会議において、地方自治法第184条の2第1項の規定に基づき、選挙管理委員○○○○君を次の理由により罷免することに議決したので、通知します。

記

理由

（注）選挙管理委員の欠員に伴い、委員長が補充員の中から補充するために行う通知である。

その３（町(村)長あて）

文 書 番 号
年　月　日

○○町(村)長　　　　殿

○○町(村)議会議長　　　　印

選挙管理委員の罷免の議決について（通知）

本議会は、令和○年○月○日の会議において、地方自治法第184条の２第１項の規定に基づき、選挙管理委員○○○○君を次の理由により罷免することに議決したので、通知します。

記

理由

様式80. 行政委員会委員の任命／選任同意の通知（法162・196①、地方公務員法9の2②、地方教育行政の組織及び運営に関する法律4①②、地方税法404②・423③、農業委員会等に関する法律8①）

（副町（村）長、監査委員、公平委員、教育長、教育委員、固定資産評価員、固定資産評価審査委員、農業委員）

文　書　番　号
年　　月　　日

○○町（村）長　　　　　　殿

○○町（村）議会議長　　　　　印

○○○○の任命／選任同意について（通知）

本議会は、令和○年○月○日の会議において、「同意第○号　○○委員会委員○○○○君の任命／選任について同意を求める件」については、これに同意する／しないことに決定したので、通知します。

様式81. 行政委員会委員の罷免同意の通知（法197の2、地方公務員法9の2⑥、地方教育行政の組織及び運営に関する法律7①③、地方税法427、農業委員会等に関する法律11①）

（監査委員、公平委員、教育長、教育委員、固定資産評価審査委員、農業委員）

文　書　番　号
年　　月　　日

○○町(村)長　　　　　殿

○○町(村)議会議長　　　　　印

○○○○の罷免の同意について（通知）

本議会は、令和○年○月○日の会議において、「同意第○号　○○委員会委員○○○○君の罷免について同意を求める件」については、罷免に同意する/しないことに決定したので、通知します。

委員会関係

様式 82. 特別委員会設置に関する決議（法109、標委5）

○○○○特別委員会
設置に関する決議

次のとおり○○○○特別委員会を設置するものとする。

記

1　名　　　称　○○○○特別委員会

2　設置の根拠　地方自治法第 109 条及び委員会条例第 5 条

3　目　　　的　○○○○及び△△△△に対する調査（対策）

4　委員の定数

（注）　1　議長に提出する際は、議案の提出〔様式17－1その2・様式17－2その2〕による提出文を添付する。
　2　必要に応じて、「5　調査（審査）期間」を記載する。

様式83. 委員会の招集（標委9①）
（委員長互選のため議長から）

年　月　日

○○委員　　　　　　　殿

○○町（村）議会議長

委員会招集通知書

委員長互選のため、次により○○委員会を招集するので出席願います。

記

1　日　　時

2　場　　所

（注）口頭で招集の通知をすることもある。

様式84. 委員会の招集通知（標委13①）

年　　月　　日

○○委員　　　　　　　　　　殿

○○委員長

委員会招集通知書

次により○○委員会を招集するので出席願います。

記

1　日　　時

2　場　　所

3　事　　件

様式85. 委員会の招集通知（議長あて）（標規65）

年　月　日

○○町(村)議会議長　　　　　殿

○○委員長

委員会招集通知書

次により○○委員会を招集するので会議規則第65条の規定により通知します。

記

1　日　　時

2　場　　所

3　事　　件

(注)　1　執行機関の説明員の出席を求めるときは、説明員の委員会出席要求〔様式89 その1〕を参照する。

2　説明員の出席を求めることを併記してもよいが、この場合は、本文に「なお……」と付け加え、「3　事件」の次に「4　説明員」を記入する。

様式86. 委員会の招集変更通知（標委13①関連）
（議長及び委員あて）

年　月　日

○　○　委　員
○○町(村)議会議長　殿

○○委員長

委員会招集変更通知書

○月○日招集の○○委員会を、都合により次のとおり変更するので通知します。

記

(変更事項)

（注）1　委員長に事故ある場合は、副委員長に委員会招集の代行権がある。
2　説明員に対する変更通知は、この通知に基づき議長から行う扱いとなる。

様式87.　委員会の招集請求（標委13②）

年　　月　　日

○○委員長　　　　　　　　　殿

○○委員
（委員定数の半数以上の者の氏名）

委員会招集請求書

次の事件について、○○委員会を招集されるよう委員会条例第13条第2項の規定により請求します。

記

事　　件

様式88. 所管(所掌)事務調査の通知（標規73）

年　　月　　日

○○町(村)議会議長　　　　　殿

○○常　任
議 会 運 営 委員長

所　管／所　掌 事務調査通知書

本委員会は、下記により 所　管／所　掌 事務について調査することを決定したので、会議規則第73条の規定により通知します。

記

1　事　　項

2　目　　的

3　方　　法

4　期　　間

5　そ の 他

（注）　閉会中、所管／所掌 事務の調査を行う場合は、調査事項の議決が必要である。

様式89. 説明員の委員会出席要求（標委19関連）

その１（委員長から議長あて）

年　月　日

○○町(村)議会議長　　　　　殿

○○委員長

説明員の委員会出席要求書

本委員会で審査/調査中の事件について、次のとおり説明員の出席を求めたいので要求します。

記

1　日　　時

2　場　　所

3　事　　件

4　説 明 員

その2（議長から執行機関あて）

文　書　番　号
年　　月　　日

（執行機関）　　　　　殿

○○町（村）議会議長

説明員の委員会出席要求書

○○委員会から、次のとおり説明員の出席要求があったので出席を求めます。

記

1　日　　時
2　場　　所
3　事　　件
4　説 明 員

様式90.　委員の派遣承認の要求（標規74）

年　　月　　日

○○町（村）議会議長　　　　　　殿

○○委員長

委員派遣承認要求書

本委員会は、次のとおり委員を派遣することに決定したので、承認されるよう会議規則第74条の規定により要求します。

記

1　日　　時

2　場　　所

3　目　　的

4　経　　費

5　派遣委員の氏名

（注）　閉会中に委員の派遣を行うときは、その目的が議会の議決により付議された特定事件の審査又は調査のためであることが必要である。

様式91．委員外議員の出席要求（標規68①）

年　月　日

○○町（村）議会議員　　　　　殿

○○委員長

委員会出席要求書

本委員会は、審　査／調　査に必要なため、次のとおり、あなたの説　明／意　見を求めることになったので、出席されるよう会議規則第68条第1項の規定により要求します。

記

1　日　　時

2　場　　所

3　事　　件

様式92. 委員外議員の発言申し出（標規68②）

年　　月　　日

〇〇委員長　　　　　　　　　殿

〇〇町（村）議会議員

委員外議員発言申出書

〇月〇日の〇〇委員会に出席し、次の事項について発言したいので、許可されるよう会議規則第68条第2項の規定により申し出ます。

記

事　　項

（注）口頭で申し出ることもできる。

様式93. 委員の修正案提出（標規69）

年　月　日

○○委員長　　　　　　　　殿

○○委員

議案第○号○○○○に対する修正案

上記の修正案を、別紙のとおり会議規則第69条の規定により提出します。

別　紙（修正案）

（注）1　修正案は、そのまま議決の対象となるようにする。〔様式19〕を参照。
2　委員1人でも発議することができる。

様式94．委員会審査/調査期限の通知（標規46①）

年　　月　　日

○○委員長　　　　　　　　殿

○○町（村）議会議長

委員会審査/調査期限通知書

○○委員会に付託した次の事件は、会議規則第46条第1項の規定により、○月○日までに審査/調査を終わるよう期限を付けることが議決されたので通知します。

記

事　　件

様式95. 委員会審査/調査期限の延期要求（標規46②）

年　　月　　日

○○町（村）議会議長　　　　　　殿

○○委員長

委員会審査/調査期限延期要求書

○月○日までに審査/調査を終わるよう議決された次の事件は、期限までに結論を得ることができないので、○月○日まで審査/調査期限を延期されるよう会議規則第46条第2項の規定により要求します。

記

事　　件

様式96. 閉会中の継続審査／調査の申し出（標規75）

（付託された事件）

年　　月　　日

○○町（村）議会議長　　　　　　殿

○○委員長

閉会中の継続審査／調査申出書

本委員会は、審査／調査中の事件について、次のとおり閉会中もなお継続審査／調査を要するものと決定したので、会議規則第75条の規定により申し出ます。

記

1　事　　件

2　理　　由

様式97. 閉会中の継続調査の申し出（標規75）（所管事務／所掌事務）

年　月　日

○○町（村）議会議長　　　　　殿

○○常任／議会運営委員長

閉会中の継続調査申出書

本委員会は、所管事務／所掌事務のうち次の事件について、閉会中の継続調査を要するものと決定したので、会議規則第75条の規定により申し出ます。

記

1　事　　件

2　理　　由

（注）1　事件は、一般的、抽象的な案件ではなく、所管事務の中の特定の具体的案件についてでなければならない。

2　閉会中に議会運営委員会を開催する場会も、原則的にはこの様式を用いるが、「所管事務」を「所掌事務」とし、「事件」は「本会議の会期日程等議会の運営に関する事項」とする。

様式98. 連合審査会の開会申入れ（標規71）

年　　月　　日

○○委員長　　　　　　　　　殿

○○委員長

連合審査会開会申入書

○○委員会において審査/調査中の○○の事件については、貴/本委員会の所管に関連があるので、会議規則第71条の規定により、次のとおり連合審査会を開会されるよう申し入れます。

記

1　日　　時

2　場　　所

様式99．連合審査会の開会 $\frac{\text{同　意}}{\text{不同意}}$（標規71）

年　　月　　日

○○委員長　　　　　　　　　　殿

○○委員長

連合審査会開会 $\frac{\text{同　意}}{\text{不同意}}$ 書

本委員会は、○○委員会から○月○日付けで申入れのあった連合審査会開会について、$\frac{\text{同 意 す る}}{\text{同意しない}}$ことに決定したので、回答します。

様式100. 連合審査会の開会通知（標規71）

年　月　日

○○（△△）常任／特別委員

議会運営　　　殿

○○常任／特別委員長

△△常任／特別委員長

議会運営委員長

連合審査会開会通知書

次のように連合審査会を開会するので、出席願います。

記

1　連合審査会を開く委員会

○○常任／特別委員会

△△常任／特別委員会

議会運営委員会

2　日　　時

3　場　　所

4　事　　件

（注）1　連合審査会の開会通知は、連名で行う。

2　議長に対する通知は、〔様式85〕に準ずる。

様式101. 委員会の審査/調査報告書（標規77）

その１（一般的な審査報告書）

年　　月　　日

○○町（村）議会議長　　　　　　殿

○○委員長

委員会審査報告書

本委員会に付託された事件は、審査の結果、次のとおり決定したので、会議規則第77条の規定により報告します。

記

事件の番号	件　　　　名	審査の結果
		（例示）件名ごとに原案可決・原案否決・同意・承認・別紙のとおり修正議決すべきものと決定（なお少数意見の留保があれば付記する）

（注）修正の場合は、修正の内容を別紙として添付する。

その2（調査報告書）

年　月　日

○○町(村)議会議長　　　殿

○○委員長

委員会調査報告書

本委員会に付託された調査事件について、調査の結果を別紙のとおり／調査の結果、別紙のとおり決定したので、会議規則第77条の規定により報告します。

別　紙

1　調査事件

2　調査の経過

3　調査の結果又は概要（意見）

その3（決算関係審査報告書）

年　　月　　日

○○町(村)議会議長　　　　　　殿

○○常任／特別委員長

委員会審査報告書

認定第○号　　件　　　名

本委員会に付託された令和○年度一般会計（特別会計）歳入歳出決算は、審査の結果、（次の意見を付けて）認定すべきものと決定したので、会議規則第77条の規定により報告します。

意見を付ける場合の例示

1　違法と認める事項

2　不当と認める事項

3　特に留意すべき事項

4　監査委員の審査意見に対する意見

5　その他

その4（資格決定関係審査報告書）

年　　月　　日

○○町(村)議会議長　　　　　　殿

資格審査特別委員長

委員会審査報告書

本委員会に付託された「議員○○○○君の資格の有無」について、審査の結果、別紙決定書案のとおり決定したので、会議規則第77条の規定により報告します。

別紙（資格決定書案）

別　紙

資　格　決　定　書（案）

資格の決定を求めた議員　　　○○○○君

資格の決定を求められた議員　△△△△君

△△△△君の議員の資格の有無につき、次のように決定する。

1　決　　定

被選挙権を有する。／有しない。

地方自治法第92条の2の規定に該当する。／しない。

2　理　　由

年　　月　　日

○○町（村）議会

その５（懲罰関係審査報告書）

年　　月　　日

○○町(村)議会議長　　　　　　殿

懲罰特別委員長

委員会審査報告書

本委員会に付託された「議員○○○○君に対する懲罰の件」について、審査の結果、次のとおり決定したので、会議規則第77条の規定により（別紙戒告文／陳謝文案を添え）報告します。

記

1　懲罰事犯の有無

懲罰を科すべきでないと認める。／懲罰を科すべきものと認める。

（科すべきものと認めたとき）

2　懲罰処分の種類及び内容

3　理　　由

別紙（戒告文案又は陳謝文案）

（注）　戒告文は〔様式63〕を、陳謝文は〔様式64〕を参照する。

その6（諮問・答申の審査報告書）

年　　月　　日

○○町(村)議会議長　　　　　　殿

○○委員長

委員会審査報告書

本委員会に付託された○○○○について審査の結果、
異議ない旨
別紙のとおり 答申すべきものと決定したので、会議規則第77条の規定により報告します。

その7（選挙管理委員の罷免審査報告書）

年　月　日

○○町（村）議会議長　　　　　殿

○○ $\frac{常任}{特別}$ 委員長

委員会審査報告書

本委員会に付託された「選挙管理委員○○○○君の罷免の件」について、地方自治法第184条の2第1項の規定に基づき○月○日公聴会を開催、審査の結果、罷免 $\frac{する}{しない}$ ことに決定したので、会議規則第77条の規定により報告します。

その8 （監査委員/公平委員の罷免同意審査報告書）

年　月　日

○○町（村）議会議長　　　　　殿

○○常任/特別委員長

委員会審査報告書

本委員会に付託された「監査委員/公平委員○○○○君の罷免について同意を求める件」について、地方自治法第197条の2第1項/地方公務員法第9条の2第6項の規定に基づき○月○日公聴会を開催、審査の結果、罷免に同意する/しないことに決定したので、会議規則第77条の規定により報告します。

様式 102. 請願審査報告（標規94①②）

年　　月　　日

○○町(村)議会議長　　　　　殿

○○委員長

請 願 審 査 報 告 書

本委員会に付託された請願を審査した結果、次のとおり決定したので、会議規則第94条第1項の規定により報告します。

受理番号	付託年月日	件　　名	審査の結果	委員会の意見	措置

（注）1　この様式中「措置」欄は、会議規則第 94 条第 3 項に基づく適当な措置（町(村)長その他の執行機関への送付、請願の処理経過及び結果の報告の請求等）を記載する。

2　法規的には、結論として採択、不採択のいずれかになるが、現実の運用として審査の時間切れのために審査未了となる場合もある。この場合には、議長への報告には記載されない。

様式 103.　少数意見の報告（標規76②）

年　　月　　日

○○町（村）議会議長　　　　　　殿

○○委員
　賛成者
（出席委員 1 人以上）

少数意見報告書

○月○日の○○委員会において、留保した少数意見を次のとおり、会議規則第 76 条第 2 項の規定により報告します。

記

1　議案番号　件　　名

2　意見の要旨

（注）　この報告書は、委員長を経由して議長に提出する。

様式104. 公聴会の委員会での開催承認要求

（法115の2①、標委21①）

年　　月　　日

○○町（村）議会議長　　　　　　殿

○○委員長

公聴会開催承認要求書

本委員会は、審査中の案件について、○月○日の会議において次のとおり公聴会を開くことに決定したので、承認されるよう委員会条例第21条第1項の規定により要求します。

記

1　日　　時

2　場　　所

3　案　　件

4　公示方法

（注）「1　日時」については、「○月○日（　）○時」又は「○月○日○時から○時まで」と記載する。

様式105. 公聴会開催の公示（標委21②）

○○町（村）議会○○委員会公聴会開催について

○○町（村）議会○○委員会は、次の要領により公聴会を開催するので、意見を述べようとする方は申し出てください。

年　　月　　日

○○町（村）議会議長　　　　印

記

1　案　　件

2　日　　時　　　年　　月　　日　午　　　○時

3　場　　所　　○○町（村）議会議事堂

4　申出方法　　○○町（村）議会○○委員長あてに公聴会の公述人申出書により住所、氏名、年齢を明記のうえ、意見を述べようとする理由及び問題に対する賛否を文書で申し出てください。

5　申出期限　　　年　　月　　日

6　公述人の選定及び通知　　申し出られた方の中から○○委員会で選定の後通知します。

7　そ　の　他　　(1)　公述人には、出席当日、費用（交通費）を弁償します。

(2)　公聴会の公述人申出書は、議会事務局に備えつけてあります。

(3)　この公聴会についての問い合わせは、○○町（村）議会事務局（電話○○番）までお願いします。

様式106. 公聴会公述人の申し出（法115の2①、標委22）

年　　月　　日

○○委員長　　　　　　殿

住　所
氏　名　　　　　㊞
年　齢

公聴会の公述人申出書

○○町（村）議会○○委員会が開催する公聴会に、次のように意見を述べたいので申し出ます。

記

1　案　件
2　案件に対する賛否　（　賛成　・　反対　）
3　意見を述べようとする理由

（注）　案件に対する賛否は、賛成、反対のいずれかに○をつける。

様式 107-1．公述人決定の通知（法115の2①、標委23①）
（公述人に決定した者に対して）

文書番号
年　月　日

（公述人）　　　　殿

○○町（村）議会議長　　印

公述人決定通知書

○○町（村）議会○○$\frac{常任}{特別}$委員会が開催する次の公聴会に、あなたを公述人として出席願うことに決定しましたので、○○町（村）議会委員会条例第23条第１項の規定により通知します。

なお、当日は次のとおり開催を予定していますので、本状を議会事務局の受付に提示してください。また、費用（交通費）を弁償しますので印鑑をご持参ください。

記

1　案　件
2　日　時
3　場　所
4　その他

（注）1　公述人に選定されなかった者にもその旨を通知する。
2　「2　日時」については、「○月○日（　）時」又は「○月○日○時から○時まで」と記載する。
3　必要に応じて、「4　その他」には、公述人の人数・発言（制限）時間などの連絡事項を記載する。
4　費用（交通費）の弁償における印鑑の持参については、それぞれの団体の取扱いによる。

様式 107−2. 公述人の委員会出席要請（法115の2①、標委23①）
（特定の利害関係者又は学識経験者に対する出席要請書）

文　書　番　号
年　　月　　日

（公述人）　　　　　殿

〇〇町（村）議会議長　　　　　印

公述人の委員会出席要請

〇〇町（村）議会〇〇（常任／特別）委員会において開催する次の公聴会で、（利害関係／学識経験）を有する公述人として、あなたのご意見をお聴きしたいので、ご出席くださるよう〇〇町（村）議会委員会条例第23条第１項の規定によりお願いします。

ついては、都合を同封はがきで折り返しご連絡ください。なお、ご出席の際は、次のとおり開催を予定していますので、本状を議会事務局の受付に提示してください。また、費用（交通費）を弁償しますので印鑑をご持参ください。

記

1　案　件
2　日　時
3　場　所
4　その他

（注）1　「2　日時」については、「〇月〇日（　）〇時」又は「〇月〇日〇時から〇時まで」と記載する。
2　必要に応じて、「4　その他」には、公述人の人数・発言（制限）時間などの連絡事項を記載する。
3　費用（交通費）の弁償における印鑑の持参については、それぞれの団体の取扱いによる。

様式107-3. 公述人の申し出に関する結果通知
（公述人に決定されなかった者に対して）

年　　月　　日

殿

○○町（村）議会議長　　　　　印

公述人選定結果通知書

お申出いただいた公聴会における公述については、お申出になられた方が多数であったため、厳正なる審査（抽選）を行った結果、あなたは公述人となりませんでした。

なお、公聴会は下記のとおり開催を予定していますので、ご案内いたします。

記

1　案　件
2　日　時
3　場　所

様式108. 参考人の委員会出席要請（法115の2②、標委26の2①②）

その１（委員長から議長あて）

年　　月　　日

○○町（村）議会議長　　　　　殿

○○委員長

参考人の委員会出席要請書

本委員会は、次のとおり参考人から意見を聴きたいので、委員会条例第26条の２第１項の規定により出席を求めます。

記

1　日　時

2　場　所

3　案　件

4　参考人の住所・氏名

5　その他

（注）　１　「１　日　時」については、「○月○日（　）○時」又は「○月○日○時から○時まで」と記載する。

２　必要に応じて、「５　その他」には、参考人の人数・発言（制限）時間などの連絡事項を記載する。

様式109. 参考人の委員会出席要請（法115の2②、標委26の2①②）

その２（議長から参考人あて）

文　書　番　号
年　　月　　日

（参考人）　　　　　殿

○○町（村）議会議長　　　　　印

参考人の委員会出席要請

○○町（村）議会○○委員会において、下記の事項についてあなたのご意見をお聴きしたいので、○○町（村）議会委員会条例第26条の２第２項の規定により、次のとおりご出席くださるようお願いいたします。

なお、ご出席の際は、本状を議会事務局の受付に提示してください。また、費用（交通費）を弁償しますので印鑑をご持参ください。

記

１　日　時

２　場　所

３　意見を求める事項

４　その他

（注）１「１　日　時」については、「○月○日（　）○時」又は「○月○日○時から○時まで」と記載する。

２　必要に応じて、「４　その他」には、参考人の人数・発言（制限）時間などの連絡事項を記載する。

３　費用（交通費）の弁償における印鑑の持参については、それぞれの団体の取扱いによる。

様式110. 常任委員会の所属変更の申し出（標委7⑥）

年　月　日

○○町（村）議会議長　　　　　殿

○○常任委員
△△常任委員

常任委員会所属変更申出書

都合により、委員会の所属を次のとおり変更されるよう申し出ます。

記

（委員名）

○○○○　　　○○委員会から△△委員会へ

△△△△　　　△△委員会から○○委員会へ

様式111. 委員長、副委員長の辞任（標委12①）

年　月　日

○○副委員長／委員長

○○委員長／副委員長　㊞

辞　任　願

このたび、○○により○○委員長／副委員長を辞任したいので、許可されるよう願い出ます。

様式112. 委員の辞任（標委12②）

年　月　日

○○町（村）議会議長

○○委員　　　　㊞

辞　　任　　願

このたび、○○により○○委員を辞任したいので、許可されるよう願い出ます。

様式113. 閉会中の議長による委員の選任（法109⑨、標委7④）

文 書 番 号
年　　月　　日

○○町（村）議会議員　　　　　　殿

○○町（村）議会議長　　　　　　印

○○委員への選任について（通知）

地方自治法第109条第9項及び委員会条例第7条第4項の規定により、令和○年○月○日、あなたを○○委員に選任したので通知します。

（注）閉会中に常任委員からの申し出により、議長が常任委員の所属変更を行った場合の通知もこの様式による。（標委7⑥）

様式 114. 閉会中の議長による委員の辞任許可（標委12②）

文 書 番 号
年 月 日

○○町（村）議会議員　　　　　殿

○○町（村）議会議長　　　　印

○○委員の辞任許可について（通知）

令和○年○月○日付けで提出された○○委員の辞任願は、令和○年○月○日許可したので通知します。

地方議会　議事次第書・書式例〈第５次改訂版〉

昭和55年８月１日　初　版　発　行
平成元年５月15日　改 訂 新 版 発 行
平成６年１月10日　第二次改訂版発行
平成19年５月25日　第三次改訂版発行
平成26年５月14日　第四次改訂版発行
平成31年３月28日　第４次改訂版補訂版発行
令和５年４月20日　第５次改訂版発行
令和７年２月５日　第５次改訂版３刷発行

編　者　全国町村議会議長会
発行者　佐　久　間　重　嘉

学陽書房　東京都千代田区飯田橋1-9-3　〒102-0072
営業　TEL 03-3261-1111　FAX 03-5211-3300
編集　TEL 03-3261-1112　FAX 03-5211-3301
https://www.gakuyo.co.jp/

印刷・製本／大村紙業

ISBN 978-4-313-18101-4 C2031